# CORPS À CORPS
# AVEC SOI ET AVEC DIEU

MICHELINE PIOTTE

# Corps à corps
# avec soi et avec Dieu

FIDES

*Données de catalogage avant publication (Canada)*

Piotte, Micheline
Corps à corps avec soi et avec Dieu
(Itinéraires)
Autobiographie
Comprend des réf. bibliogr.

ISBN 2-7621-2112-4

1. Piotte, Micheline.
2. Vie spirituelle – Christianisme.
3. Vie – Philosophie.
4. Présence de Dieu.
5. Handicapés physiques – Québec (Province) – Biographies.
I. Titre.
II. Collection: Itinéraires (Fides (Firme)).

HV3013.P56A3 1999    362.4'3'092    C99-940586-1

Dépôt légal: 2ᵉ trimestre 1999
Bibliothèque nationale du Québec
© Éditions Fides, 1999

Les Éditions Fides remercient le ministère du Patrimoine canadien du soutien
qui leur est accordé dans le cadre du Programme d'aide
au développement de l'industrie de l'édition.
Les Éditions Fides remercient également le Conseil des Arts du Canada et la
Société de développement des entreprises culturelles du Québec (SODEC).

À *Julia Piotte,*
   *fille de Jean-Marc et de Marie,*
à *Simon M. Chartrand,*
   *fils de Denis et de Johanne,*
à *Anne Piotte,*
   *fille de Claude et Gillète,*
*et à tous les enfants*
   *qui vivront à la maison Merhila.*

# REMERCIEMENTS

Je remercie Denise Francis et Ginette Robin, pour leur fidèle amitié.

Je remercie Annick de Souzenelle, une grande dame dont les écrits ont été, pour moi, un cadeau du ciel.

Je remercie mes professeurs, Germaine Thiffault, c.n.d., et Raymond Bourgeault, s.j. Ces deux chercheurs de Dieu sont aujourd'hui décédés, mais je pense toujours à eux avec reconnaissance et affection.

Je remercie Louise Houle, Monique Vallée, Monique Désilets, Marie Leahey et mon frère Jean-Marc pour leur lecture attentive du manuscrit ou d'une partie du manuscrit, pour leurs commentaires et leur affection.

Je remercie Marie Hélène Chartrand. Ce livre est notre histoire. Il est tissé de nos conversations, de nos prières, de nos épreuves et de nos rires. Sa foi, son amour et sa présence ont nourri et soutenu mon espérance. Sans elle, je n'aurais pas persévéré sur le chemin, ni écrit ce livre. Marie Hélène aime autant la terre que le ciel, autant les fleurs, les chats, le bon vin, la bonne bouffe et ses « petits » que les anges. Elle contribue à m'ancrer dans le sol et à me faire grandir vers le ciel. Je remercie la Vie qui a fait se croiser nos chemins.

# AVANT-PROPOS

« Si quelqu'un a soif, qu'il vienne à moi. Je suis venu pour qu'on ait la vie et qu'on l'ait surabondante. » (*Jn* 7,37 et 10,10)

Assise au bord de la rivière, je regarde les cyclistes qui dévalent le sentier et les joueurs qui courent autour d'un ballon. Serais-je plus heureuse si je pouvais bouger comme eux? Serais-je plus heureuse si... Tous les plaisirs et les biens de ce monde se succèdent devant mes yeux: les voyages, une auto plus récente, une plus grande maison, la santé, plus d'argent, un mari, un enfant, plus... Rien. Rien ne comble la béance que je ressens. Je suis atteinte d'un mal incurable. J'ai le désir de Dieu.

Je L'ai cherché dans les livres. Je L'ai cherché dans les églises. Le Dieu que j'y rencontre me semble bien fade et lointain, comparé à ce Dieu qui saisit Paul de Tarse, François d'Assise et Pascal et les retourne à l'envers, complètement transformés. Est-ce une expérience réservée à quelques saints choisis et dois-je me contenter d'un Dieu inconnaissable et incompréhensible, auquel je peux choisir de croire ?

J'essaie d'oublier ce désir. J'essaie de l'extirper de mon ventre. Je fouille mon histoire pour y déraciner tout ce qui peut alimenter mon « mal d'être ». Je vais au bout de ce que la psychologie peut m'apporter.

Je m'inscrit à des cours d'exégèse. Je lis la Bible, le Bhagavad-gîtâ, les Upanishads, les aphorismes du yogi Patanjali. Je lis sur le zen et le bouddhisme, sur les expériences de la vie après la mort et les enseignements des anges… Chaque lecture me fait entrevoir un monde auquel j'aspire mais ne m'y fait pas pénétrer. Après la vitalité et l'espérance qu'elle stimule, je me retrouve, désemparée, devant une porte fermée.

Je suis tentée par différentes expériences ésotériques, psychiques et fracassantes. Je sais d'intuition, et parce que de nombreux chercheurs spirituels l'ont écrit, le danger de cette voie et des illusions qu'elle crée.

Les spiritualités orientales sont-elles la seule voie de guérison ? Dois-je me déraciner pour trouver ? Dois-je apprendre un autre langage, baigner dans un parfum et dans une histoire qui n'éveillent en moi aucune résonance et aucune mémoire, pour trouver ce que mon cœur cherche ? Je ne veux pas y croire.

C'est alors que je reçois en cadeau un livre d'Annick de Souzenelle. Elle redonne à l'Histoire sainte que j'ai apprise enfant, une vigueur et une actualité qui m'ébranlent dans le tréfonds de mon être. Je suis à nouveau convoquée sur le chemin de Dieu. Mon désir s'enflamme.

Les histoires et les héros de ma tradition, rapetissés à des figures morales et lointaines et empoussiérés par l'habitude et l'insignifiance, ressuscitent. Caïn, Noé, Abraham, Jacob, Job, deviennent des compagnons et des guides, leur histoire et la Parole qui leur est adressée, nourriture.

Je me sentais dans un cul-de-sac, prisonnière de mon désir de Dieu. Et voilà que le désir de Dieu est libéré. Je n'ai pas à me satisfaire de croyances et de connaissances. Je peux enfin reprendre ma quête de Dieu.

« Il faut naître de nouveau », dit Jésus à Nicodème (*Jn* 3,1-9). La voie de cette renaissance est étroite, dit Jésus. Elle exige plus que des bonnes œuvres et des prières. Elle nécessite, comme le répètent les prophètes juifs, la purification et la circoncision du cœur.

Sur cette voie, les événements de ma vie, les textes de la Bible, les écrits d'Annick de Souzenelle et d'autres auteurs découverts ou retrouvés, la langue hébraïque à laquelle je m'intéresse et cette Voix que j'entends au fond de moi, s'appellent, se répondent et me forgent. Chaque rencontre est une entaille, une brûlure, qui libère peu à peu le cœur, l'intelligence et le corps.

Ce livre raconte ma quête de Dieu et son chemin. Il décrit une prison qui s'effrite, des murs qui résistent et une Présence qui s'infiltre peu à peu comme une eau vive. Il est l'histoire de ma sortie de l'exil. Il est le récit de ma renaissance.

Dans la première partie du livre, en réponse à une exigence que je ressens, je décris mon expérience du chemin comme elle est vécue. Je suis devant une grande toile sur laquelle je dessine des formes et ajoute des couleurs à mesure qu'elles s'imposent à moi. Je n'ai aucune idée du paysage que mes mains contribuent à façonner. La première partie, divisée en cinq étapes, est une expérience continue. Il y a entre chaque sous-titre, le temps d'une journée, de quelques jours ou de quelques semaines. Dans la deuxième partie qui n'acquiert toute sa sève qu'avec la lecture de la première partie, j'esquisse le tracé de la route et les balises nécessaires à la compréhension de cette expérience. J'y explicite aussi quelques références à des textes bibliques qui se trouvent dans la première partie.

J'espère que ce livre pourra aider ceux qui, comme Nicodème, demandent: « Oui, mais comment naître de nouveau? » Je souhaite qu'il donne le goût de prendre la route et soit pour tous ceux qui s'engagent sur le chemin de Dieu, une petite lumière au cœur des découragements et des tâtonnements.

Nous ne pouvons saisir Dieu. Il n'est peut-être même pas nécessaire de savoir qu'Il existe pour se mettre en route et persévérer. Il suffit de croire en la profondeur de l'homme et de prendre le chemin de cette profondeur.

Dieu alors nous saisit. Il Se révèle et Se fait connaître d'une manière qui dépasse tous nos mots, tous nos concepts et toutes nos définitions.

PREMIÈRE PARTIE

L'expérience du chemin

PREMIÈRE ÉTAPE

« VA VERS TOI »

TROIS PERSONNAGES collent à ma peau. Trois personnages sont mes peaux. Ils dansent ma vie. Ils font aller mes bras, mes jambes, me relèvent la tête, m'amènent à gauche, à droite, me dictent mes comportements et mes pensées. Ils sont ma fierté et mon orgueil. Ils me tiennent droite quand j'ai le goût de m'affaisser. Ils me motivent à avancer quand je ne veux plus bouger. Ils me font ouvrir la porte aux gens qui frappent, quand je désire être seule. Ils m'ont amenée là où je suis. Sans eux, je me demande si je serais vivante. Ils m'ont tenue debout, comme des béquilles soutiennent un corps qui n'a pas la force de se tenir seul. Grâce à eux, j'obtiens la reconnaissance, l'estime et le respect des autres. Et si on admire parfois mon courage et ma détermination, c'est encore grâce à eux.

Que serais-je sans eux ? Qui serais-je ? Je suis devenue mes personnages. Je suis confondue à eux. Je me sens nue à l'idée de vivre sans eux. Pourtant, je sais qu'il me faut les déchirer un à un, les décoller de ma chair et de mes os, les arracher de moi, car ils m'étouffent. Mes béquilles sont ma prison. Un temps, elles me solidifiaient. Maintenant, elles m'affaiblissent, elles me font perdre ma vie, elles sont en train de me tuer. Mes personnages ont commencé leur œuvre de mort. J'étouffe sous ces peaux trop petites pour la vie qui veut grandir en moi.

À l'appel d'une Voix qui vient du tréfonds de moi, j'ai le goût de me lever et de regarder chacun de ces personnages bien en face. Je sais qu'ils doivent mourir, car ils me retiennent prisonnière.

## Les trois personnages

Aussi longtemps et aussi loin que je regarde en arrière, il y a un premier personnage qui m'habille et me donne le genre *grande sœur*. J'étais petite et j'étais déjà grande. Ce personnage est le plus lourd à porter. Sa peau me pèse sur les épaules comme du plomb.

*Grande sœur*, je prends soin d'autrui. Tous mes sens ont des antennes orientées vers les besoins des autres. Je sais les gestes à poser pour recevoir, mettre les autres à l'aise, écouter. Je suis préoccupée des autres. J'écoute. Je donne. Je ne juge pas. Je prends soin de la veuve et de l'orphelin. J'ai du cœur pour les autres jusqu'à m'épuiser totalement.

Ce personnage vieillit. Il avait la candeur et la fraîcheur d'un cœur qui veut aider et soulager. Avec le temps et la fatigue, il est devenu comme des mamelles vides, sans lait. Il est hors d'usage et, de toute façon, dépassé. Ses mots et ses gestes ne peuvent rien face aux problèmes et aux déchirures de la vie qu'il observe aujourd'hui.

J'aime ma deuxième peau. Elle me donne fière allure, l'allure du soldat, de l'explorateur, du brave que les obstacles n'arrêtent pas. C'est *la volontaire*. Elle peut ce qu'elle veut, jusqu'à preuve du contraire. Avec elle, j'ignore la peur, la fatigue, la douleur et même la maladie*. J'avance parce qu'elle l'a décidé.

Brave soldat, va! Je suis forte parce que je le veux. Mes armes sont la volonté, la détermination, la persévérance. Je peux parfois paraître de fer. Je fends les obstacles, les dents serrées. Je suis puissante.

Le soldat est fatigué. Il arrive de moins en moins à me prendre par la peau du cou et à me remettre sur pieds. Il a le goût de rendre les armes. Peut-être a-t-il épuisé sa puissance. Peut-être n'avait-il que l'illusion de la puissance.

Mon troisième personnage — *l'idéaliste* — m'a toujours indiqué la direction. Lui sait où est le bon, le vrai, le juste. Ses valeurs changent avec le temps mais

---

* Je réfère, dans le texte, aux difficultés que j'ai rencontrées dans la vie avec mon corps. Pour faciliter cette lecture, sachez que je suis née avec une maladie du système nerveux sensoriel, qui a occasionné de nombreuses hospitalisations et causé l'amputation de mes pieds et de plusieurs doigts. J'ai déjà écrit sur cette expérience dans *Au-delà du mur*, livre qui a été publié chez VLB en 1988.

toujours il en a et elles me servent de balises. Avec lui, je sais les choses à faire et à ne pas faire. Fais cela et tu seras sauvée, Micheline. Fais cela et ça ira bien. Exprime-toi, va vers les personnes, prie, pense positivement, fais circuler ton énergie, renforces tes chakras, fais le ménage de ton passé, respire, allons! respire, mange mieux, recycle et composte, engage-toi, sois responsable, chante, crie, place ton argent et surtout, surtout, vise l'excellence, la perfection ne suffit plus.

Ouf! J'ai parfois le goût de lui crier: tais-toi! Ta gueule! Tu es, toi aussi, complètement dépassé. Tes discours d'idéaliste sonnent de plus en plus vides, dénués de sens. Tu vis, toi, dans l'illusion d'avoir trouvé un sens. Ce que tu dis donne l'illusion de combler le vide que je ressens. Tu sonnes faux.

Vous êtes tous les trois inutiles, comme une goutte d'eau qui voudrait éteindre un feu dévorant une forêt. Vos illusions m'ont fait vivre. Je dois maintenant vous déchirer et affronter le vide. Vous devez mourir car vous êtes maintenant vides. Vous avez perdu tous vos pouvoirs de nourrir, de saler, d'éclairer et de féconder. Vous êtes des illusions. Vous êtes l'illusion d'aimer.

### La bonne conscience

Vous m'avez donné bonne conscience. J'ai fait ce que j'avais à faire. J'ai combattu, j'ai aidé et j'ai dirigé ma vie selon des règles que je croyais justes. Vous m'avez menée jusqu'à cette porte. Si je ne vous laisse pas aller, vous allez détruire ma sève et même mon désir de vivre.

La bonne conscience ne suffit plus. De faire mon possible ne suffit plus. De dire : « C'est les autres, ce n'est pas toi » ne suffit plus. De dire : « Lève-toi, Miche, fais ce que tu peux » ne suffit plus. De dire : « tu es aimée, Miche » ne suffit plus. J'arrive devant le vide, l'absurde. Que vaut ma bonne conscience face au cri qui me déchire le ventre et face au vide dans lequel je glisse ? Que vaut la bonne conscience quand, de tous les coins de la terre, j'entends les cris qui me hantent et vois les regards qui appellent ?

Tout a l'air de grossir et de se multiplier : les déficits, la population mondiale, les famines, les guerres, les campagnes de financement, les causes à défendre, les causes perdues, les maladies, les sortes de maladies, les sortes de virus et la résistance des virus, les suicides...

Ce vide, cette douleur, en moi... La bonne conscience que vous me donnez, chers compagnons de vie, ne suffit plus. Je frappe un vide, un trou. Laissez-moi aller. Laissez-moi seule. Vous collez à mes os. Vous avez dévoré mes pieds. Vous avez brisé mes os. Il est temps de partir. Il est temps que je me retrouve seule, nue, effondrée dans la poussière. Que mes oreilles et mon regard se détournent de vous pour sonder l'abîme qui s'ouvre en moi. J'ai peur de m'écrouler. J'ai peur de disparaître. J'ai peur de ne plus revenir. Une Voix appelle. J'appelle.

*Mémoire de moi*

Confondue à mes personnages, confondue à ces peaux que je porte comme de vieilles robes, j'ai perdu mémoire de moi. Qui suis-je ? Je n'arrive plus à me souvenir. À travers mes âges, j'entends parfois une Voix qui semble venir du fond de l'abîme : « Où es-tu Micheline ? » Un frisson glisse sur ma conscience, comme une pierre sur l'eau, et disparaît, comme les ronds dans l'eau. Je remets mes peaux et je continue. Je ne sais plus qui je suis. Mes peaux semblent tellement réelles, plus réelles qu'un moi que je ne vois pas, que je n'entends pas, que je ne touche pas et que je ne sens pas.

Pourtant, une certitude pointe en moi : je ne suis pas ces peaux. Elles sont ajoutées. Je joue le rôle de ces personnages depuis l'aube de ma vie. Ils ne sont pas moi. Qui suis-je ? Je ne le sais pas. J'ai perdu mémoire de moi. L'ai-je déjà su ? « Où es-tu Micheline ? »

Ces personnages se sont adaptés aux exigences de la vie de tous les jours. Ce qu'ils voient autour d'eux est devenu la réalité et la normalité. La vie est ainsi faite, c'est comme ça. Il faut s'y adapter. Il faut faire avec ce qui est.

Mais au fond de moi, un « quelqu'un » ne s'adapte pas. Ce quelqu'un n'a encore ni forme, ni yeux, ni mains. Il semble n'avoir qu'une voix. Il semble n'être qu'une voix. Une voix qui crie : « Micheline, n'accepte pas cette réalité. N'accepte pas ces simulacres de force que sont ta volontaire, ta grande sœur et ton idéaliste. N'accepte pas cette réalité réduite à la peur et à la culpabilité. N'accepte pas ces simulacres de Dieu que sont l'argent, le pouvoir, la haute technologie, les recherches scientifiques et les morales. N'accepte pas que la vie soit cette normalité grise, que le modèle d'excellence présenté aux hommes soit froid, sans âme et dominé par l'appât du gain. N'accepte pas une vie rapetissée. »

« Où es-tu Micheline ? » Cette Voix me secoue. Qui suis-je ? Suis-je de ce monde ? Suis-je ce monde ?

Vais-je continuer de me dire : il y a eux et il y a moi ? Il y a les riches et il y a moi. Il y a les pauvres et il y a moi. Il y a les guerres et il y a moi. Il y a les violents et il y a moi. Il y a les opprimés et il y a moi. Il y a les abuseurs et il y a moi. Eux, moi. Quelque chose ne va pas dans cette séparation. À force de voir des horreurs en-dehors de moi, ma bonne conscience se fatigue et éprouve de moins en moins de tristesse ou de révolte face à l'inacceptable.

Le ventre me serre. Si j'étais partie prenante de cette humanité ? Mes personnages me cachent-ils une vérité plus profonde que je n'arrive pas à discerner ? Qui suis-je ? Mon histoire est tissée des pas de danse de ces trois personnages. Ai-je une histoire secrète dont je ne me souviens pas ? Suis-je un tueur qui s'ignore ? Mes personnages n'ont plus la fougue, la vigueur et la foi de mes vingt ans. Contribuent-ils, par leur silence et par leur inertie, aux maux de l'humanité ?

Eux, moi. Qui suis-je dans ce tissu humain ? « Où es-tu Micheline ? » La Voix se fait insistante et ne se tait pas. Mes personnages-peaux séparent : eux, moi ; le bien, le mal. Ils semblent savoir clairement où est le bien et où est le mal. Mes peaux ne semblent plus contenir et retenir les réalités. Ce qui me semblait clair ne l'est plus. Tout devient flou. Tout s'effrite. L'air devient dense. Où commence mon moi ? Où finit mon moi ? Je ne sais plus où sont mes limites. Il n'y a plus de forme. Je semble me dissoudre. La Voix continue son doux murmure, pour éviter peut-être que je disparaisse. Un cordon invisible me relie à elle. Pour le reste, je suis dans les ténèbres. Je ne sais plus qui je suis. Suis-je ?

La Voix seule me garde en vie. Mon corps vibre, mon cœur est sur le point d'éclater. Je tremble. Mes entrailles sont bouleversées. Est-ce que...Je n'ai plus de mots. Le silence. Puis les larmes. Écoute Micheline, la Voix veut te parler.

### Le désert

Où suis-je ? Assise au centre de moi, je suis dans un désert, au cœur de la ville.

Je contemple l'espace que je viens de quitter. Il grouille de toutes les batailles que j'ai menées, de toutes les causes que j'ai épousées ou ignorées, des personnes que j'ai vues et de celles que je n'ai pas regardées. Un foisonnement de vie qui m'a fait rire, gueuler, parler, sourire, pleurer, bouger, et qui aujourd'hui se consume comme un ballon crevé, comme la robe d'un fantôme. L'importance que je leur donnais, l'intérêt qu'ils suscitaient en moi, se dissolvent, brûlés par la Voix devenue feu.

L'écorce de mon arbre se brise. La pulpe est broyée. Toutes les solutions aux problèmes de la vie — qu'elles aient leur origine dans la psychologie, la politique, la recherche scientifique, l'engagement, la solidarité sociale, l'écologie, l'économique, la morale et les religions — m'apparaissent dérisoires. Ces solutions me servaient de balises et entretenaient mon espérance. Je me promène maintenant dans un désert, rien ne marque le chemin.

Je perds mes croyances. Mes opinions deviennent des mots éclatés, des lettres qui scandent l'absurde. Je ne sais plus comment juger les choses, les événements, les personnes. Où est le bien? Où est le mal? Mon cœur est malade. Il n'arrive pas à aimer. Il fait les gestes, il dit les mots de celle qui aime. La *grande sœur*, la *volontaire* et l'*idéaliste* sont pétries et tissées de cet amour qui agit, se vide de lui-même, mais n'aime pas.

Je ne sais plus que penser de Dieu. Depuis longtemps, je n'ai plus l'image d'un Dieu qui punit ni d'un Dieu responsable de mes malheurs. Je perds maintenant l'image de Celui qui répond doucement à nos appels.

J'ai longtemps couru à droite, à gauche, pour trouver des réponses qui me feraient vivre. C'est quoi la vie? Pourquoi la vie? Pourquoi la souffrance? J'ai cherché dans le passé et dans le futur. Les réponses trouvées cessaient de me nourrir après quelques mois de mastication. Pour échapper au vide, je courais vers l'ailleurs, agitée par mes personnages en panique. Sans eux, je reste assise, presque immobile, à contempler le champ de ma vie. Ce qui a fait sens et donné une direction à ma vie, brûle comme un feu de paille.

Je suis gênée de mes vieilles réponses, revues, remâchées et corrigées au fil des ans. Elles ne font qu'entretenir un semblant d'espérance et de vie. Elles me donnent l'illusion de savoir et d'être utile. Elles emprisonnent.

Tout, tout, tout, autour de moi, n'a plus de sens. Tout, tout, tout ce que j'ai été, n'a plus de sens. Sauf cette Voix et le désir de plus en plus fort de me retourner vers elle, de l'entendre, de l'écouter.

## L'étrangère

Elle s'est tuée devant nous. Nous avons entendu le bruit sombre et sans écho de son corps sur le sol. Elle gît, sans vie, à quelque cinquante mètres de nous. Son crâne est ouvert. Paralysées et muettes, nous la regardons pendant que les services s'affairent autour du corps.

Nous ne savons pas qui elle est. Une étrangère. Pourtant, nos entrailles se déchirent. Toutes les deux,

Marie Hélène, ma collègue, mon amie, ma voisine, elle aussi convoquée sur le chemin de Dieu, et moi, savons, au-delà de toutes les raisons logiques et rationnelles, que le destin de cette femme est relié aux nôtres.

La Voix parle. Le son du corps qui frappe le sol fissure le centre de mon être. La distance qui me sépare de cette femme dont je ne connais pas le nom, s'évanouit. Pendant quelques secondes, je sais qu'une partie de moi se meurt de désespoir, qu'une étrangère en moi a besoin de mon regard et de mon amour. Pendant quelques secondes, je sais que tant que je ne rencontrerai pas l'étrangère en moi, beaucoup d'étrangers mourront. Nos destins s'appellent.

La Voix parle. Elle nous parle à Marie Hélène et moi. Elle nous appelle, nous fuit, nous chatouille, nous dirige. Elle nous a menées l'une vers l'autre. Elle travaille en nous et nous conduit chacune vers le désert de notre être pour l'épurer et tailler tout ce qui l'encombre.

Mes oreilles ne saisissaient que les bruits extérieurs et le babillage de mes pensées et de mes sentiments. Elles se tournent, pour la première fois, vers une Voix qui semble venir d'un lointain espace tout intérieur.

Je ne trouve plus de sens à rien. Cette Voix me dit que tout a un sens, que rien, vraiment rien, n'arrive pour rien. Il me faut accepter de ne plus savoir, de ne plus comprendre, de mourir à ce qui a fait ma vie. Il me faut laisser le bord de la piscine où je m'agrippe et risquer la noyade. Car la vie est tellement plus qu'une piscine.

Je suis sans mot. Tous les mots me semblent fades et sans vie pour décrire l'expérience qui me bouleverse. « Va vers toi » me dit la Voix. « Retourne-toi » me répète-t-elle comme un refrain lancinant qui hante mes nuits et mes rêves. « Il est temps de te tenir debout et de partir vers ce pays que je t'indiquerai. » (*Gn* 12,1)

Je quitte, non sans peine, mes personnages. Je quitte mon travail. J'avance sur le chemin qui se trace à l'intérieur de moi. Il n'a aucune autre direction que ce « va vers toi » de la Voix.

Sur le chemin, de vieilles voix intérieures me tirent vers l'arrière : « T'as l'air fine avec ta recherche de Dieu. » Je suis gênée de parler du travail qui se fait. J'habite un monde étranger et je me sens étrangère au monde qui m'entoure. Malgré la présence de Marie Hélène, j'ai parfois l'impression de devenir folle ou de courir après des chimères.

La tentation du retour en arrière est présente : « Fais comme si tu ne savais pas, Micheline, oublie ce dont tu commences à peine à te souvenir, fais comme tout le monde, contente-toi de la vie de tout le monde. »

Je ne peux plus retourner en arrière. Je ne peux plus oublier. Je ne veux plus oublier. Quelque chose a éclaté : je ne peux le remettre dans son écrin, ni pousser le fermoir. La Voix est sortie de son silence. Elle exige mon attention, toute mon attention. Le babillage de mes pensées et de mes personnages n'arrive plus à l'étouffer.

J'arrose mes plantes. Je nourris mes chats et mon chien et joue avec eux. Je vois des amis. J'écoute la télé. Je prépare notre repas. Je fais le ménage. Je regarde la ville. Je croise des étrangers dans la rue. Je parle avec Marie Hélène. Toujours, toujours, une autre réalité s'infiltre et s'ajoute au monde dans lequel je vis. Jusqu'ici, je ne voyais que l'horizontalité des choses, leur succession dans le temps et dans l'espace, les causes d'hier, les rêves de demain et les relations d'aujourd'hui. Maintenant, j'entends ou je devine la verticalité de chaque événement de mon histoire.

Un fil ténu relie mon histoire à une très grande histoire qui se joue dans le monde. Je suis l'espace où se joue une grande histoire, une histoire qui transcende tous les registres du péché, de la punition, de la culpabilité, de la morale et du bon Dieu que je connaisse.

### Le vide du désert

Je suis épuisée. Je peux difficilement compléter mes activités de la journée. D'où vient cette fatigue ? Ma colonne vertébrale ne veut plus retenir mon corps qui s'affaisserait volontiers dans le sable du désert. Couchée vivante sur le sol, comme morte.

« Tu es bénie de Dieu » me dit la Voix. Je me répète : je suis bénie de Dieu, mais la Voix révèle un fait qui étrangement ne soulève en moi aucun sentiment particulier. J'ai de la difficulté à concilier l'épuisement que je ressens avec la bénédiction de Dieu.

Je me couche en boule sur le sable du désert. Deux rêves, que j'ai faits il y a plus de vingt ans, me reviennent en mémoire : «Je monte un très long escalier et j'entre dans une maison au milieu de laquelle croît un arbre. L'arbre est plein d'oiseaux de toutes les couleurs. Je suis émerveillée de leur beauté et étonnée de voir tant d'oiseaux que je ne connais pas. Je redescends l'escalier pour aller fouiller dans mes livres et découvrir le nom de chacun. »

« Je vais aux toilettes et je chie de nombreux poissons. Ils sont gros, vivants, variés et colorés. Étonnée, je les regarde dans l'eau du bol, profonde comme un lac. Je ne savais pas que j'avais tout cela en dedans de moi. »

Ces rêves ont marqué le début d'un intense travail intérieur, pénible, parfois violent et déchirant, mais qui m'a révélé des espaces intérieurs inconnus. Mon corps s'est mis à changer. Je devenais belle, droite et fière. J'irradiais. J'expérimentais une puissance et des plaisirs d'une intensité nouvelle. J'ai crû posséder les clés du bonheur et du paradis. Au fil du temps, une angoisse, que j'essayais de taire, trouait parfois ma conscience. Ce bonheur me dévorait. J'étais possédée par lui, dans l'illusion, comme Adam, de connaître et d'être un dieu. J'étais moi-même, comme Adam, dans l'illusion de connaître. Ce paradis s'est consumé de lui-même et je me suis retrouvée avec mon vide et mon désir, contente de n'avoir pas été totalement dévorée dans cette aventure.

Aujourd'hui, épuisée, je me retrouve au pied de l'escalier de mon rêve, qui me rappelle étrangement le rêve que fit Jacob, au début de ce long voyage qui allait le transformer : il voyait une échelle dressée sur la terre et dont le sommet atteignait le ciel (*Gn* 28,12). Je l'associe aussi au sixième jour de la création où Dieu dit à Adam de dominer sur les poissons de la mer, sur l'oiseau des cieux et sur toute énergie rampante sur le sec et où Dieu le bénit et lui dit de croître, de se multiplier et de remplir la terre (*Gn* 1,28). Peut-être Dieu m'indique-t-Il aujourd'hui que je suis prête pour une nouvelle poussée de croissance, une montée vers le faîte de mon arbre, là où sont les oiseaux de toutes les couleurs, et une descente vers les eaux profondes, là où vivent tant de poissons inconnus. Est-ce la raison pour laquelle je me souviens de ces rêves aujourd'hui ?

Depuis plusieurs années, je traîne, dans mon agenda, un signet sur lequel est écrit : « Ô Éternel, je me confie en toi, indique-moi le chemin où je dois marcher. » (*Ps* 143,8) Sur le signet, une photographie d'une route, dans la campagne, illustre et accompagne le texte. Le chemin, sur lequel je me retrouve, est beaucoup moins calme et n'éveille pas la douceur. J'avance à la recherche de mon Dieu sur un chemin parsemé d'obstacles et de déchirements.

Il y a de grands obstacles qui vous font éclater en

morceaux. D'autres, plus insidieux, font fondre toute trace de sentiment et d'attache et vous précipitent dans une sorte de mélasse qui colle à la peau. Je suis plus à l'aise avec les grandes batailles où je maintiens une apparence de vie, qu'elles aient la couleur du désespoir, du goût de mourir ou de la rage de vivre. L'adversaire que je rencontre aujourd'hui, m'amène dans une sorte de néant. Je suis vide de sentiments, d'idées, de désirs. Où est Dieu ? Qui suis-je ? Je me sens dépouillée.

Les idées que je me suis faite de la vie, de Dieu et de Micheline s'écroulent. Je ne sais plus ce que je cherche. Tout ce que je peux lire, même dans Souzenelle, résonne comme une langue étrangère. Je ne comprends plus rien. Je m'active, je relis des passages de livres qui m'ont déjà soulevé. Rien ne m'affecte. Comment fuir ce vide, cette absence en moi, cette absence de moi ? « Va vers toi » me disait la Voix. La Voix s'est tue, me laissant dans le désert. Je reste là. J'écoute le silence.

Je suis assise sur le bord de l'abîme. J'ai une sensation au goût de mort. Je perds toute consistance dans un espace informe. C'est habituellement un lieu dont je m'éloigne le plus rapidement possible, en m'agitant dans toutes les directions et avec tous les moyens disponibles. J'ai toujours fui ce trou qui menace de m'engloutir. Aujourd'hui, je ne sais pourquoi, au risque de couler au fond du trou, je ne fuis pas. Je trouverai, peut-être, enfin, une autre issue.

## La violence d'un fauve

J'ai toujours su ma violence. Je la connais depuis long-temps. Elle se terre au fond de moi. Je garde cette violence bien scellée. Quand un événement ou une personne suscitent cette violence, je me raisonne, je l'explique, je la justifie et je l'exprime toujours de façon civilisée.

Un événement, presque anodin, a fait éclater le sceau qui contenait cette violence. Surprise et boule-versée, je l'ai regardée se répandre comme la lave d'un volcan dans tout mon espace intérieur. Le feu brûle. Les barrières, que je mets habituellement pour main-tenir ma violence dans les limites conformes à mes idéaux et à mes croyances, s'écroulent. Cette fois-ci, je n'essaie pas d'éteindre le feu. J'observe en moi ce vol-can, ce fauve libéré de ses chaînes, qui déchirerait avec ses griffes tout ce qu'il ne contrôle pas, tout ce qui ne lui obéit pas, tout ce qui ne fonctionne pas selon son vouloir et son jugement.

On tue les enfants. J'éliminerais les tueurs d'en-fants. On fait la guerre. Je tuerais ceux qui font la guerre. Je déchirerais le masque d'une folle qui con-trôle tout un milieu de travail. J'égorgerais celui qui m'a volée. Je frapperais mon chien désobéissant. J'écraserais l'idiot qui pense tout savoir et l'hypocrite qui ment doucereusement à la télé.

J'ai toujours cru ma violence légitime. Elle était une réponse adéquate et n'avait ni l'intensité, ni la dureté, ni la méchanceté des vrais violents et des vrais tueurs. Pourtant, actuellement, à quelque violence extérieure à laquelle je pense, je ressens en moi une violence qui répond avec la même force. Je broierais, comme un fauve sa proie, tout ce qui ne se comporte pas comme je le veux.

La violence que je ressens et la violence extérieure se reflètent l'une l'autre, comme dans un miroir. Tout ce que je ne contrôle pas et voudrais contrôler, des petits événements quotidiens aux grands événements mondiaux, éveille cette violence. Mon chien qui ne m'écoute pas, mes chats qui aiguisent leurs griffes sur les meubles, un enfant qui crie quand je lui demande de parler doucement, les insectes qui envahissent mes plantes, le voisin qui écoute sa musique à tue-tête, les personnes qui ne font pas de mon aide ce que je voudrais qu'elles en fassent, les journalistes qui sont l'écho des bêtises des gens publics, les magouilleurs de tous niveaux, les martyrs qui veulent renommée et argent pour leurs souffrances, les abuseurs d'enfants, les gens qui font la guerre… Mes bons vieux personnages contrôlent assez bien l'agacement, l'irritation ou même la colère que je ressens face à ces situations. Mais si je les fais taire, si je refuse leurs réponses faciles, la colère et la violence qui s'élèvent en moi, sont terribles.

Où va l'énergie de ce fauve que je tiens habituellement en cage ? Puis-je canaliser autrement cette énergie que je contrôle ? Ce feu, qui brûle et qui détruit, peut-il réchauffer ?

Depuis plusieurs années, je sais que mes personnages ne savent pas aimer. Ils peuvent faire des choses gentilles et éviter les méchancetés. Des gestes et des mots de l'amour et de la compassion, n'ont rien, ou si peu, si peu, à voir avec aimer. Les personnages se sont efforcés d'aimer. L'amour n'a rien à voir avec l'effort. Depuis des mois, je prie quotidiennement ce Dieu que je cherche, pour qu'Il ouvre mon cœur et que je sache enfin aimer.

Contrôler l'énergie qui tue n'est pas aimer. Dominer cette énergie, à la façon du mâle à la poigne de fer, n'ouvre pas à l'amour. Mon chien, mes chats, les insectes et les hommes, comme l'énergie-feu à l'intérieur de moi, ne veulent pas mon contrôle.

Quel orgueil que penser savoir comment devraient se comporter les gens et la vie. Quel orgueil qu'essayer de plier la vie et de la forger selon son vouloir. Quel orgueil que penser mettre la vie dans des cases et dans des chaînes, sans la rapetisser.

Je pensais savoir comment ne pas tuer et ne pas faire le mal. Le feu, qui n'alimente pas la vie, détruit. La vie, comme le feu, n'accepte pas d'être rapetissée. On ne peut retenir un volcan avec des chaînes ni avec la bonne conscience. J'ai du feu en moi.

J'ai multiplié les moyens pour arracher cette violence de moi, pour déraciner tout ce qui pouvait l'alimenter venant de mon passé et de l'histoire, pour la cracher à l'extérieur de moi, pour la contrôler : elle est en moi et ne meurt pas.

Le feu est en nous. Les règles, les lois, les prisons et les polices ne sont qu'une gaine qui essaie vainement de retenir un volcan. Le feu couve.

En voulant contrôler ce feu, j'efface de la vie ce qui en fait la vie et la vie devient chose. Choses à faire, choses à ne pas faire. La vie n'est plus sacrée. Les êtres humains sont utiles ou inutiles. Les êtres humains n'ont plus de nom et je regarde, hébétée, les chiffres qui s'additionnent devant moi : un demi-million, ou plus, de réfugiés au Rwanda, des millions d'enfants qui meurent chaque année, six suicides par semaine à Montréal, des millions de pauvres, des millions de personnes atteintes de sida, une personne sur cent vingt-six tuée par balle aux États-Unis, un homme qui tue vingt ou vingt-six enfants dans une école en Écosse, une personne sur quatre qui mourra de cancer... Plus ça brûle, plus je voudrais contrôler le feu.

« Va vers toi », dit la Voix. « Va vers toi », dit Dieu à Abraham (*Gn* 3,19). « Va vers toi, retourne-toi vers tes terres intérieures, dit Dieu à l'Adam, domine avec amour tous les animaux qui peuplent tes terres intérieures ». Je rencontre en moi ce fauve dévorant. Je ne sais comment l'apprivoiser avec amour. Je le sais, pourtant, source de vie.

Cette violence me contrôle quand j'essaie de la contrôler. Je m'épuise dans cette bataille. J'y perds ma vie. Comment aimer ce fauve en moi ? Comment réchauffer avec ce feu ? Pour le moment, je ne sais que rugir de désir, rugir mon désir d'aimer.

Ce face-à-face avec moi-même ébranle toutes mes perceptions. Je n'arrive plus à mettre la même distance entre ces eux-que-je-hais et moi, entre ces tueurs-abuseurs-violents et moi. Je n'arrive plus à juger et à condamner les pires atrocités, avec la froideur et l'assurance d'antan. Eux et moi sommes tissés du même feu.

Le cœur me fait mal.

DEUXIÈME ÉTAPE

# FISSURES

JE SUIS AU CENTRE d'une grande maison dont les murs se fissurent. Les fondations sont ébranlées, la maison tient encore.

Depuis toujours, je suis intéressée à comprendre la vie, de la cellule aux espaces intersidéraux en passant par l'histoire des peuples de la terre. J'ai étudié la psychologie. Ma conception de la vie n'exclut pas les phénomènes paranormaux, les états altérés de conscience, les expériences inexplicables et l'idée de Dieu. Je suis au centre de ce savoir, comme au centre d'une maison solide. Les murs de cette maison me voilent la vie et ma vie. La maison est encore debout, mais par la grâce de Dieu, j'entrevois parfois par une fissure dans mes murs, l'éclat de la vie au-dehors de ma prison.

Le Doigt de Dieu guide ma recherche et semble parfois se jouer de moi ou avec moi. Quand je pense avoir trouvé, tout devient obscur. Quand j'erre perdue à l'intérieur de moi et dans la vie, un événement inattendu survient, qui laisse percer la lumière et me donne le goût de chanter.

J'ai bâti des murs entre le bien et le mal, inventant des catégories d'êtres humains. J'ai bâti des murs de briques entre les espèces d'êtres vivants. Pour comprendre et dominer, j'ai séparé. En moi, ces mêmes murs me donnaient l'illusion de contrôler ma vie. Je regarde mon intériorité, les briques s'effritent, les murs oscillent. Je me surprends à avoir le goût d'accueillir tout ce qui sortira de moi, pour en libérer la vie. J'ai, aujourd'hui, le goût de danser. Dieu, comme un Père, s'occupe de moi. Il me semble L'entendre rire. J'ai le goût de rire avec Lui. Est-ce que je commence à aimer?

Dans l'élan de ma *volontaire*, cette vieille peau qui ne me laisse pas, je voudrais abattre tous ces murs qui m'emprisonnent, à grands coups de hache et de volonté. À bas tous ces murs stériles qui pétrifient la vie! À moi l'ouverture et la conquête de la vie! À moi la liberté! L'*idéaliste* a enfin trouvé un sens à la vie. Allons, avançons!

Je reconnais ces vieilles peaux qui ne veulent pas mourir! Que faire? Comment les déchirer et m'en libérer? Dois-je les tuer pour en être libérée, comme Caïn a tué Abel, son frère en tunique de peaux (*Gn* 4,8)? J'ai encore peur du pouvoir de ces personnages comme Jacob qui, avant de retrouver son frère Ésaü, a peur de la force de ce dernier (*Gn* 32,8). Que faire de mes personnages?

Habitée par ces questions, une lumière perce peu à peu ma conscience et mes personnages se transforment sous mes yeux. La scène se déroule comme dans un rêve. Chaque personnage se consume jusqu'à devenir un point qui se développe et renaît avec un nouveau visage. La *grande sœur*, qui portait l'univers sur ses épaules, se retrouve toute petite, au centre de l'univers créé par Dieu et soutenu par Son Souffle. La *volontaire* s'agenouille humblement devant son Dieu : « Que Ta volonté soit faite ». Et l'*idéaliste* s'émerveille de ne plus rien comprendre. Les forces de ces personnages doivent muter. Les forces de ces personnages doivent, maintenant, me permettre de grandir.

La joie me serre le ventre. J'ai de la difficulté à décrire la paix que je ressens. Je m'incline, m'abandonne et m'émerveille. Un miracle vient de s'accomplir. Comment décrire la fraîcheur, la délicatesse, la force et la fragilité de ce que je ressens ?

J'ai le goût de danser et de fêter. J'ai le goût de conserver précieusement en mon cœur ce qui est en train de se vivre en moi. Je désire le protéger et le voir grandir. Je veux le serrer contre moi et lui dire, comme dans un rêve fait ce matin, « Je ne te laisserai plus aller seule. Jamais plus. » Il est comme une fleur nouvellement éclose, comme un nouveau-né.

J'ai le goût de l'appeler « Joie » tant mon cœur bondit de joie. Il dominera ma douleur de vivre. Il regardera avec amour cette douleur qui a tissé ma vie et elle deviendra joie. Il prendra ma peur par la main et elle deviendra confiance. Il me fera rire de mes inquiétudes.

J'ai 55 ans aujourd'hui et je viens de naître. Je respire à pleins poumons entre les deux 5 de mon âge. Je ris et je pleure en même temps. J'ai le goût de crier sur les toits et j'ai le goût de contempler en silence. Je veux danser et m'agenouiller. C'est Noël. Une étincelle vient de naître devant qui je m'efface, pour qu'elle grandisse.

## Le lendemain de Noël

Déjà hier, au coucher, je doutais de l'expérience que je venais de vivre. Tout n'avait-il pas été qu'imagination et délire religieux?

Le Tentateur revient régulièrement pour semer le doute, pour réduire la vie à cette recherche de jouissance, de possession et de puissance rabattues à l'horizontale, pour réduire la vie à la matérialité de son tissu visible. Tu nais, tu recherches le plaisir, tu évites la souffrance et tu meurs. Voilà, c'est fini. Toute autre voie est folie.

Oui, folie. Mais cette folie me fait respirer. Il y a au creux de mon ventre une toute petite flamme, toute fragile, que je ne cesse de ressentir. Déjà, ma vie en est bouleversée. Rien n'apparaît à l'extérieur. Il n'y a aucune transformation fulgurante. Je continue de vaquer à mes occupations quotidiennes. Mais je sais que ma vie ne sera plus jamais la même. Je sais que cette étincelle deviendra feu de joie qui me consumera.

Je pense à Marie, mère de Jésus. J'avais d'elle une image teintée de tout ce que j'ai entendu sur la pureté et sur la mère des douleurs. Je n'éprouvais ni attirance, ni piété particulières pour cette figure. Marie m'apparaît, aujourd'hui, d'une autre façon et avec un autre cœur. Qu'a-t-elle pu sentir et penser après l'annonce de l'ange Gabriel (*Lc* 1,30)? Qu'a-t-elle compris quand son ventre se gonflait de l'Enfant qui se développait en elle?

Je veux garder et prendre soin de ma petite joie, lui permettre de grandir, guidée par le Doigt de Dieu et par la Voix comme je l'ai été jusqu'ici.

J'ai envié Paul de Tarse, renversé de son cheval par la Voix de Dieu: «Saül, Saül, pourquoi me persécutes-tu?» (*Ac* 9,4) Paul devint, sous l'éclat de la lumière, aveugle et muet pendant quelques jours. Puis il se convertit. Les voies de Dieu sont insondables. Le retournement vers moi est plus long et pénible. La Voix est murmure presque silencieux, et non coup de tonnerre. Il me faut prêter l'oreille à ce son parfois plus doux que le vent sur un brin d'herbe. Il faut tourner mon attention, moi qui ai tant écouté la détresse des êtres humains, vers mes terres intérieures et entendre le souffle chaud de la Voix. Comme l'âne aux grandes oreilles, il me faut obéir à la Voix qui me guide.

Je sais aujourd'hui que ce que j'écris et ce qui m'arrive a été préparé de longue date. Le fil ténu, reliant différents temps de mon histoire, est longue préparation et longue maturation. Il commence à émerger de la matière. Je ne peux qu'acquiescer et m'incliner à ce qui advient. J'écris ce livre qui me crée. Je ne sais trop qui enfante qui. Je ne sais l'avenir de ce livre, ni le mien.

## *Désemparée*

Marie Hélène est très malade. Un nuage a recouvert la petite joie qui chantait en moi. J'ai glissé vers le bas dans un mouvement en spirales. Tout s'est fait rapidement et je me suis retrouvée abasourdie et désemparée.

J'enveloppe de mes bras mon amie Marie Hélène. Je suis sans mot. Elle souffre et je suis là. Une joie fragile, une foi si petite, si petite, un amour si impuissant. Je reste accrochée à mon espérance et, encore une fois, je ne comprends plus.

Le chemin est difficile et imprévisible. Est-ce que je ne m'abandonne pas assez à la grâce de Dieu? Est-ce que je résiste à son action? Qu'est-ce qui ne va pas en moi? J'ai de la difficulté à ne pas régresser aux vieilles catégories morales de mon passé, aux vieilles questions inutiles. Qu'est-ce que tu as fait encore pour être malade? Qu'est-ce que tu n'as pas fait encore pour être encore malade? Les questions inutiles alimentent une culpabilité inutile.

Je suis cassée en morceaux. Mon amie est pulvérisée en poussières. Nous restons assises l'une près de l'autre. Sans comprendre, nous continuons de dire: « Que Ta volonté soit faite! »

J'étais là quand Marie Hélène s'est retrouvée à l'hôpital le dos blessé et les jambes en partie paralysées. Quand, brûlée de fièvre et immobilisée par la douleur, je suis entrée d'urgence à l'hôpital pour un abcès à la cuisse, Marie Hélène était près de moi. Deux ans plus tard, quand mon fémur droit s'est fracturé, elle était à mes côtés. Je suis avec elle maintenant qu'une grippe a évolué vers une broncho-pneumonie et que la toux a fracturé une côte. Depuis notre naissance, nos corps sont le lieu de luttes épuisantes.

Nos destins sont liés. Nous éprouvons dans nos corps peu de répit. Comme Job (*Jb* 7,19), nous n'avons pas le temps d'avaler notre salive entre les coups durs. Comme Jérémie, j'ai le goût de dire à mon Dieu : « Pourquoi ma souffrance est-elle continue, ma blessure incurable, rebelle aux soins ? Vraiment tu es pour moi comme un ruisseau trompeur aux eaux décevantes. » (*Jr* 15,18) Souvent sans mot, errantes dans un espace inconnu et sombre, nous continuons de croire que le travail d'enfantement continue. La flamme du désir a vacillé sous le choc. Elle n'est pas éteinte.

J'ai souvent pensé que, si je devais me retrouver directement face-à-face avec Dieu, je serais consumée à l'instant même, pulvérisée par Sa lumière et Sa puissance. Le soleil et l'énergie nucléaire ne sont qu'un pâle reflet de Sa force. Cette certitude me vient je ne sais d'où.

Pour grandir vers Lui, il me faut plus qu'un vague

désir, plus qu'une foi tiède et vacillante, plus que des prières et des bonnes œuvres. Il me faut affronter la résistance de Dieu. Pour que je grandisse, Dieu m'appelle et me résiste à la fois. Jacob a lutté avec l'ange (*Gn* 32,25). Le Seigneur voulut faire mourir Moïse sur son chemin vers l'Égypte (*Ex* 4,24). De nombreuses fois, le Seigneur endurcit le cœur du pharaon afin de résister à la libération d'Israël (*Ex* 8). Les épreuves m'obligent à m'enraciner au plus profond de mes terres intérieures pour devenir un arbre droit, solide, capable de résister aux tempêtes et de mûrir ses fruits.

J'ai rencontré beaucoup d'obstacles dans ma vie. Ma foi est encore bien petite, plus petite que le grain de sénevé dont parle Jésus (*Lc* 13,18). Mon désir, lui, est de plus en plus grand.

Ces derniers jours, en plein cœur d'une situation apparaissant absurde, je me suis demandée si je pourrais tout oublier du chemin. Je ne peux pas. Je ne peux revenir en arrière. Le désir est une bête libérée que je ne peux remettre en cage.

Perdue dans le désert, le cœur dans l'eau, j'ai le goût de pleurer sans trop savoir pourquoi. Je me plains un peu. Les descentes aux enfers sont plus longues que les percées de lumière. Je me baigne quelques instants dans la lumière et m'en nourris avant d'être de nouveau culbutée dans les ténèbres. Un point de lumière, de grandes taches de ténèbres. Quand pourrais-je me reposer? Je suis fatiguée. Je lutte avec je ne sais qui, je ne sais quoi. J'ai hâte au matin.

## Une épave

Ce matin, une phrase, sortie de la profondeur de la nuit, envahit ma conscience et se répète comme un écho dans le vide : « Et l'Esprit féconde les eaux ». J'écoute. Je joue avec le mot hébreu qui lui aussi m'habite. Qu'est-ce à dire pour moi ? Est-ce l'annonce du matin que j'espère ?

Rien ne ressemble pourtant au matin de Pâques. Je me sens une épave que la mer a rejetée sur les berges, après une tempête. Je suis courbaturée. J'ai la tête lourde, comme si j'allais être malade.

Pour arriver à reprendre pied, je lis la Genèse. Je récite l'alphabet hébreu comme d'autres récitent leur mantra ou leur chapelet. Je reste absente de moi-même. Un trou dans le ventre. Je ne suis pas désespérée. Je ne suis pas triste, même si les larmes me viennent aux yeux. Je me sens perdue, si perdue. Et lessivée.

« Où es-tu Micheline ? » m'a dit la Voix. « Où es-tu Voix ? » aurais-je le goût de lui murmurer. « Où te caches-tu Voix ? Pourquoi me faire languir ? Je ne veux plus t'abandonner. Pourquoi te caches-tu ? Mon cœur te cherche et ne te trouve pas. »

## L'éclatée

Deux personnes très différentes cohabitent en moi. Il y a la Micheline régulière, connue et contenue. Sa foi est fragile, vacillante et si ténue qu'elle en parle avec gêne. Ses mouvements sont figés et raisonnés. Elle est sérieuse. Elle étudie. Elle prie.

L'autre choisit les couleurs de mon logement : jaune chaud, bleu profond, vert forêt, violet saturé et orange du soleil levant. Parfois, comme hier soir, elle éclate de rire, d'un rire qui surgit du fond du ventre et se répand dans tout le corps. Elle est au-delà des barrières que nous nous imposons dans la vie. Elle est libre, non constipée.

Elles partagent toutes deux un savoir sur les choses de Dieu. Seule l'autre semble le ressentir dans son corps et l'exprimer dans sa vie. Elle est folle, folle de joie, folle de liberté, folle d'amour. Sa foi est fraîche et simple.

Quand l'autre s'éveille en moi, je me sens au paradis. Les obstacles ne disparaissent pas, mais ils ont une autre texture, une autre couleur, une autre réalité. Je ne la contrôle pas. Comme une fleur, aucun effort extérieur ne peut l'ouvrir. Elle apparaît comme une percée de soleil et puis disparaît. Elle vient enluminer ma vie comme une grâce. Comme une nourriture céleste, elle me donne la force de continuer mon chemin.

Plus souvent, je suis dans la peau de celle qui se sait retenue par des fils invisibles, comme dans une toile d'araignée. Cette Micheline m'apparaît terne et fade après la visite de celle que j'appelle affectueusement « l'éclatée ».

Quels autres fils couper pour sortir de ma prison ? Quand l'exil de moi prendra-t-il fin ? Il y a de nombreuses années, j'écrivais : « Je suis prisonnière à l'extérieur de moi. Je veux entrer chez moi, je me cogne à un mur. Je cherche désespérément la personne, la parole, qui fissurera le mur et me permettra de me glisser en moi. J'erre librement dans le monde, prisonnière de ce monde, hypnotisée, fatiguée. Je me griffe la peau. Je me mords les lèvres. La douleur me saisit. Le mur reste impénétrable. Prisonnière en moi. Prisonnière à l'extérieur de moi. Je me tiens à la porte. Je frappe. J'ai soif. »

C'était en 1984. Quinze ans plus tard, je franchis des obstacles, j'enlève des peaux, mais je me sens encore en exil. « L'éclatée », plus près du cœur et de la source de mon être, devient parfois visible et palpable. Le plus souvent, elle reste prisonnière, comme une pierre dans son écrin,

Je continue, avec la patience et la persévérance de cette bonne vieille Micheline, mon chemin dans le désert. Comme une tortue, j'avance à petits pas. Malgré une carapace lourde, j'avance. Un pas. Un autre pas. Un autre pas. Ce n'est plus un effort extérieur qui me fait continuer, mais quelque chose inscrit en moi, comme un programme biologique, une impulsion, une intention, que je nomme désir du tout autre, béance qui appelle.

La Bible est truffée de miracles et de prodiges, faits par Dieu pour son peuple qui chante alors Sa gloire et Le remercie pour, dès le lendemain, oublier et se tourner vers de faux dieux. Vraiment, pensais-je, ce peuple a la nuque raide et l'oubli facile. Je ne le comprenais pas.

Je commence à comprendre. Il est facile d'aimer quand le sentiment d'amour nous habite. Il est facile de croire quand on sent la Présence en soi. Quand la Présence se fait absence, quand Elle se fait discrète, quand Elle se retire (*Gn* 2, 2), comme il est facile d'oublier, comme il est facile de douter, comme il est facile de tout remettre en cause et chercher ailleurs. Ma vie est pleine de ces moments d'ouverture à sa présence et de ces longs moments d'oubli.

Les choses étant pénibles, mon corps n'arrêtant pas d'avoir mal à un endroit ou à un autre, me sentant comme ce matin gris, pluvieux et brumeux, je suis tentée de dire : « A quoi bon ! » A quoi bon persévérer dans cette recherche de Dieu qui n'arrête pas de se cacher.

J'aurais le goût d'appeler Dieu à la barre des témoins pour avoir une petite explication. Mon discours pourrait ressembler à ceci : « Vois, j'ai souffert, je me suis regardée, je Te désire et Te cherche. Vois ce que j'ai fait. C'est à Ton tour de Te manifester. » Ma démarche est orgueilleuse. Ou je me convoque à la barre : « Qu'est-ce qui ne va pas avec toi, encore ? » Il m'est difficile d'arrêter ce juge moraliste, qui interroge et condamne.

Il n'est pas aisé de m'incliner, sans comprendre, devant l'œuvre de Dieu. Je commence à peine à reconnaître que tout ce que je suis et tout ce que je fais est porté par le Souffle de l'Esprit. Dieu a mis en moi le désir de Dieu. Il m'égare pour que je Le cherche, encore plus profondément. Mes personnages-peaux étaient des béquilles qui me gardaient faible. Dieu refuse d'être une béquille et une réponse facile.

Je Lui en veux parfois de me laisser, sans support et sans appui, dans le vide. Dieu ne me regarde pas comme une victime démunie et faible. Il ne semble pas vouloir enlever les obstacles de mon chemin, ni me plaindre.

Je me sens au centre d'un immense édifice, sans cesse secoué, qui ne s'effondre pas. L'orage et le vent viennent, l'ébranlent et le font gémir sur ses fondements. Les briques se disloquent, les murs se fissurent. J'entrevois, quelques secondes, une réalité tout autre. Puis le calme revient, la tempête s'apaise, les percées de lumière s'estompent comme la brume d'un rêve. Je me retrouve un peu vide. Et ça recommence : les éclairs, le vent, une tornade, une percée de lumière et le calme après la tempête. L'édifice est toujours debout. Chaque secousse, chaque séisme, laisse un vide de plus en plus creux et intenable. Je n'arrive plus comme avant à combler ce vide ou à le fuir par des activités extérieures, occupationnelles. L'édifice est toujours debout.

J'aurais le goût de crier à Dieu d'achever Son travail et de détruire ces murs qui me retiennent prisonnière. Je sais maintenant que si ces murs sont debout, c'est que je ne suis pas prête à vivre la réalité qui m'attend hors les murs. Je me sens comme ce bébé, à l'étroit dans le ventre de sa mère, après plusieurs mois de gestation et à quelques semaines de sa naissance. Je manque d'espace derrière mes murs et la tiédeur qui m'enveloppe m'étouffe.

Où est cette Lumière que j'entrevois et qui se cache ?

## La tortue

Je me suis encore éveillée au milieu de la nuit. Rien. Cette fois-ci, je ne pense à rien. La tête vide, le corps fatigué, je fixe les lumières de la ville.

Je n'écris plus depuis plusieurs jours. Ma tête éclate. Tout ce que j'y avais soigneusement rangé, tout au long de ma vie, est sans dessus dessous. Tout est mêlé.

Les spectacles de la vie que transmettent la télé et les bulletins d'information, m'ennuient ou me choquent. J'y vois des caricatures grotesques de la vie et des êtres humains. Je me sens de plus en plus détachée, lointaine. L'air s'épaissit autour de moi. J'étouffe de plus en plus.

Je suis habitée par l'image d'une tortue. J'ai une énergie et une vivacité qui tranchent avec ma perception de la tortue. Pourquoi alors cet animal s'impose-t-il à moi, jusque dans mes nuits ? Je le sens dans mon dos et dans mes membres. J'imite spontanément ses mouvements. J'avance pas à pas, avec constance, comme une tortue. Je peux me réfugier derrière ma carapace. Quoi d'autre ? Pourquoi ma demeure est-elle hantée par la tortue ? La tortue possède-t-elle un secret dont j'ai besoin ? Elle semble tellement contraire à ma petite joie et si éloignée de « l'éclatée ».

Tortue de mer, tortue de terre, elle m'apparaît, lourde et sans âge, une survivante des temps lointains. Elle vit au cœur de sa maison. Elle porte en hébreu un très beau nom (*tsab*) qui signifie la création, la maison, saisie et harponnée par son créateur. Le nom hébreu de la tortue cache aussi le germe divin au cœur du fils accompli. Si la tortue va à la source de son être, elle devient en hébreu, l'acte de peindre et joue avec les couleurs. Si on lui ajoute en son cœur une direction, elle devient, toujours en hébreu, le signe de la croix. Quel étrange et bel animal ! Je laisse l'hébreu résonner en mon cœur et contemple la tortue. L'un et l'autre m'habitent comme une musique qui ne m'a pas encore révélé sa mélodie.

La tortue, lourde et solide, conserve sa forme à travers les temps et les intempéries. Ma joie se cache-t-elle dans la tortue, dans sa solidité et son terre à terre, pour ne pas se morceler et se dissoudre ? La tortue n'est peut-être pas la pesanteur dont je veux me débarrasser, mais plutôt le poids dont j'ai besoin pour porter la vie qui germe en moi. La Voix semble vouloir me saisir au cœur même de la tortue.

Bousculée par tout ce que je vois et par l'effondrement que je ressens, j'aurais le goût de me réfugier sous ma carapace. Je me sens sans moyen et sans force. Auparavant, je croyais connaître des solutions aux problèmes. Aujourd'hui, les problèmes enflent à vue d'œil et sont hors contrôle. La terre tremble sous les secousses qui annoncent un grand séisme. Autour de moi, plus près de moi, des vies se brisent, des corps sont malades. En moi, la sécurité s'est volatilisée. Le soir, quand je ferme les yeux, j'ai l'impression d'être un point perdu dans l'espace et mon corps tremble de partout. Aucun avoir extérieur ne m'apporte la paix.

La tortue est un rampant et un rampant est à la charnière d'un retournement de l'inaccompli vers l'accompli (Souzenelle 2, p. 323), le symbole d'un passage de ce qui n'était pas à ce qui est maintenant. Peut-être la tortue annonce-t-elle l'enfantement d'un cœur qui sait mieux aimer ? Il y a l'amour qui guette dans le regard de l'autre le retour de l'amour, comme je le fais encore. Mais ce que je désire par-dessus tout et de tout mon cœur, c'est un amour plus grand que la peur, qui ne s'épuise pas et qui s'abandonne avec confiance. En attendant, comme la tortue et nourrie de son nom, je continue d'avancer pas à pas.

## *Pauvreté et dépouillement*

Un vieil homme approche, fouille nerveusement dans son porte-monnaie et m'offre une pièce de vingt-cinq cents. Surprise, je réponds : « Non merci » et continue ma route. Offusquée, j'associe ce geste aux préjugés qui concernent les-handicapés-qui-ne-travaillent-pas-et-qui-sont-sur-le-bien-être-social.

Bien que je circule régulièrement en fauteuil roulant, c'est, à ma souvenance, la première fois que cela arrive. Pourquoi ce geste aujourd'hui ? Pourquoi un vieil homme m'offre-t-il une pièce de monnaie ?

Mon orgueil a été piqué. J'aurais voulu dire, haut et fort : « Moi, je travaille ; moi, j'ai assez d'argent pour vivre ; moi, je ne suis pas sur l'assistance sociale ; moi, je ne suis pas pauvre ; moi... ». Je ne suis pas, moi, comme ces autres, pauvres et handicapés. Je dresse un mur et me dissocie d'eux pour sauver la face.

Tristement, je constate ce qui me sépare des êtres humains : mon orgueil, mes jugements, mes connaissances, le sentiment de mon autonomie et de mon indépendance. J'ai aujourd'hui besoin de m'en libérer : ils cimentent les briques de ma prison.

Laisser aller mes pensées. Laisser aller mes croyances. Laisser aller mes connaissances. Laisser aller mes émotions. Laisser aller mes jugements. Laisser aller mes certitudes. Toutes ces richesses m'encombrent la tête et le cœur et alourdissent mon corps. Elles se détachent de moi, de mon cœur, de mon cerveau, comme des morceaux de peaux sèches et brûlées.

Ce grand nettoyage semble couper les liens avec la vie et m'en détacher. Je regarde un spectacle extérieur qui ne m'affecte plus. Je ne sais plus ce qui reste de moi, ni s'il en reste quelque chose autre que mon attachement pour Marie Hélène. Elle est un point de vie dans un univers vide que je pourrais quitter, il me semble, sans aucun sentiment.

Je suis de plus en plus dépouillée. Chaque élagage ressemble à un tournoiement dans les vagues de la mer qui me rejettent ensuite sur le sable où, étourdie, je relève doucement la tête et essaie de me remettre debout. Mais une autre vague survient qui me ramène violemment dans les flots. Et la mer de murmurer à travers son grondement : « Ce n'est pas fini. »

Je ne voyais plus ce qui pourrait encore être arraché. Et un dernier coup, violent, vint me déchirer les entrailles. J'ai hurlé, j'ai crié et j'ai pleuré. Marie Hélène, très malade, pouvait mourir. Celle qui m'avait été donnée, pourrait être reprise, si telle était Sa volonté. Le cœur de Marie Hélène, dans un état d'épuisement extrême, pouvait cesser de battre à chaque instant. Fatiguée, elle rendait les armes, s'inclinait devant Sa volonté et nous faisait sobrement ses adieux.

J'ai cru sombrer dans la folie. Des cris secouaient mon corps. Dans l'instant, j'ai su à quel point j'aimais Marie Hélène. J'ai compris qu'elle pourrait mourir et j'ai dit oui, en hurlant de douleur. Une phrase, tirée d'un psaume, s'est mise à tourner dans ma tête : « Je mets mon espoir dans le Seigneur, je suis sûre de Sa Parole ». Cette phrase a dansé dans ma tête pendant des heures. Je ne savais que la répéter.

Marie Hélène n'est pas morte... Un ange a arrêté le bras d'Abraham qui allait faire mourir son fils Isaac (*Gn* 22,11)... Notre foi a été grandement éprouvée. Nous reposons, complètement épuisées de cette bataille.

J'ouvre les yeux sur un nouveau jour. Je regarde Ramsès, mon chien, et je l'aime comme il est, avec ses poils et ses crottes. Mon cœur déborde de tendresse pour Marie Hélène. J'éprouve pour tout ce qui vit autour de moi et pour les personnes concrètes qui habitent mon monde, un goût tout neuf de les aimer, une saveur qui ressemble à une fleur fraîche sous la rosée du matin.

### La tentation de l'éblouissement

Au cœur de mon désert, tout est redevenu tranquille. J'avance à pas de tortue. Rien d'éblouissant. Pas de voyage dans ces autres mondes et ces autres niveaux de conscience qu'a si bien décrits John Lilly. Pas de sortie hors de mon corps. Pas de visite dans l'univers des anges. Pas de rencontre avec un chaman amérindien, celtique ou avec des gurus indiens. Pas de séjour dans les déserts d'Afrique ou du sud des États-Unis, ni dans les forêts denses. Rien que mon désert intérieur en plein cœur d'une ville.

J'ai tant aimé lire sur ces expériences merveilleuses, dangereuses, fracassantes par leur intensité et leur luminosité. J'ai été fascinée par ces aventures intérieures qui font éclater la coquille du quotidien et font rêver au merveilleux. Ces chercheurs et ces aventuriers me font découvrir un monde dans le monde. Ils me font entrevoir la hauteur, la profondeur et la richesse du monde intérieur. Comme Adam à qui Dieu fait voir, en songe, son Ishah des profondeurs (*Gn* 2,21), j'ai le goût de m'écrier : « Voilà l'affaire ! Voilà ce que je veux, voilà ce qui fonde ma vie, voilà la vie ! »

Comme Adam, j'aurais le goût de n'avoir qu'à tendre la main pour prendre le fruit de l'arbre, pour prendre et posséder la connaissance et la puissance et pour vivre des expériences enivrantes.

Mon chemin est plus terne. J'ai le goût d'arrêter d'écrire. Qui voudra lire sur ces expériences de vide, de rien, de mort et sur ces lumières à peine plus éclatantes que la flamme d'une chandelle ? Qui voudra lire sur une tortue rampante ?

Je suis attirée par toutes ces lumières qui me promettent des expériences hors de l'ordinaire. Je suis tentée de courir vers ces expériences intenses.

Une sorte de « bungi » spirituel. Un raccourci vers le ciel. La tentation d'Adam.

Grâce à Dieu, je me retourne vers moi et me rappelle ce que je désire le plus : libérer mon cœur pour qu'il devienne capable d'aimer, non par bonne conscience, ni dans un effort de volonté, mais tout naturellement, comme François d'Assise. Le travail est intérieur, presque silencieux. De fines lamelles de peau tombent comme des cellules mortes. Parfois des arrachements plus douloureux me secouent. La circoncision du cœur se continue.

C'est mon chemin. Je l'aime de plus en plus.

### La marche dans le désert

Après chaque déchirement, j'attends la lumière, l'abondance, la résurrection du cœur et du corps qui ne viennent pas. Quelques filets de lumière percent ma conscience mais sont aussitôt recouverts d'une épaisse nuée. La marche dans le désert est pénible et, comme les Hébreux (*Ex* 15), j'ai l'impression de tourner en rond.

Je ne prie peut-être pas suffisamment. Je ne vois ou n'apprécie peut-être pas l'abondance qui m'est donnée. Peut-être que...peut-être que... Je ne comprends pas et j'aimerais comprendre. Y a-t-il quelque chose que je ne fais pas et que je devrais faire ? Y a-t-il quelque chose que je ne laisse pas faire et à laquelle je devrais m'abandonner ? Peut-être les voies de Dieu et les temps de Dieu sont-ils différents des miens ? Je ne trouve pas le repos et la paix de l'esprit. Je suis fatiguée de toutes ces appréhensions, inquiétudes et questions qui ne cessent de m'assaillir. Je voudrais tant qu'elles se transforment, qu'elles se retournent à l'envers d'elles-mêmes pour devenir de petites graines qui fleurissent en confiance.

Le seul pouvoir que j'ai est de les regarder, de les reconnaître, de les nommer et de désirer fortement qu'elles se transforment. Je peux désirer. Je ne peux faire. Dans tout ce travail, j'ai l'impression de passer de mort en mort. Les épisodes de repos et de résurrection n'ont ni l'éclat, ni surtout la durée des déchirements. Ma foi et mon espérance sont grandement éprouvées.

Le chemin du désert est difficile. Je comprends les Hébreux de se révolter et Job d'en appeler à la Justice de Dieu (*Jb* 16,20). Pourtant, je ne voudrais en rien arrêter le travail. Malgré les tourmentes, je sais que les racines de ma foi et de mon espérance pénètrent plus profondément dans mes terres. Je deviens plus solide.

### Ramsès

J'ai fait un rêve : Ramsès, mon chien, meurt. Et de cette mort, l'Esprit saint me soulève et me remet debout. Je semble sortir de terre et grandir sous l'effet de Son Souffle.

Au réveil, je crains la mort de Ramsès qui, ces jours-ci, respire avec difficulté. Mon chien est un miroir pour moi : il reflète ma fatigue et mon irritation ; il éveille mon goût de jouer et d'être libre ; il réfléchit mes difficultés et mes limites à aimer. Quand il y a quelques années, un abcès croissait en secret au creux de ma cuisse, un tumeur se développait à la surface de la patte de mon chien. Mon chien m'attire et m'accompagne vers des espaces intérieurs à découvrir. Ce n'est peut-être pas un hasard si, il y a onze ans, j'ai donné à mon chien un nom égyptien*!

Que signifie ce rêve? Que comprendre? Quel aspect de moi-même doit mourir pour que l'Esprit m'insuffle une nouvelle vie? Je ne voudrais pas que Ramsès meure pour le découvrir.

J'ai peur de perdre Ramsès et il me devient tout précieux. Il cesse tout à coup d'être une habitude dans ma vie ou une chose dont je m'occupe. Il devient, dans mon cœur et sous mes yeux, une âme vivante, un être sacré. Je le regarde avec tendresse. Il allume en moi une lumière. Le contraste est si saisissant, entre cette lumière et la chose noire dont je m'occupe, que j'en suis sidérée.

Mon environnement se peuple de personnes pour qui les autres ne sont que des objets à éblouir, à contrôler, à séduire, et non des êtres avec leur sensibilité et leurs particularités. Ces personnes ne portent aucune attention aux autres. Elles ne sont intéressées qu'à ce qu'elles peuvent en soutirer: admiration, jouissance ou profit. Qu'ont-elles à se lever ainsi devant ma

---

* Je réfère ici à l'étude d'Annick de Souzenelle sur l'*Égypte intérieure* où elle explique qu'Israël et l'Égypte représentent tous les deux une réalité intérieure à chaque être et à chaque peuple.

face? Pourquoi deviennent-elles si présentes, autour de moi et en moi? Les êtres deviennent chose vide, ai-je pensé. Comme ce Noël, qui approche et que l'on habille de rubans, mais où brillent, par leur absence, le merveilleux et le sacré.

Ne suis-je pas devant un miroir qui me réfléchit?

N'ai-je pas, moi aussi, transformé mon univers en choses ternes et en habitudes? Quelques taches lumineuses, quelques moments de lumière, comme maintenant avec Ramsès, me font voir la quotidienneté de la grisaille.

Dans mon cœur et sous mes yeux, tout n'est pas vivant, unique et précieux comme mon chien Ramsès. Je n'entends pas la respiration de ce qui m'entoure, le rire de mes plantes, la musique de mes livres et le désir unique de chaque être humain. Tout en moi n'est pas vie et âme vivante.

Ramsès est dans une lumière douce à l'intérieur de moi. Je voudrais que cette lumière se répande sur tout ce que mon regard touche, qu'elle redonne vie à tout ce qui m'entoure. Peut-être est-ce là l'œuvre de l'Esprit dont parle mon rêve?

Je veux entendre les anges. Je veux entendre la mélodie de toute vie. Je veux entendre.

## À la porte du jardin

Une autre chute dans le vide. Elle s'appelait Micheline, comme moi. Elle avait été témoin, il y a quelques années, d'un acte de violence d'une intensité telle qu'elle n'avait plus jamais été capable de retrouver une assurance et une solidité qui lui auraient permis de vivre sans peur et sans angoisse. Désespérée, elle s'est tuée. Sous ma fenêtre.

Sur le coup, tout s'est arrêté. Aucune pensée. Aucun mot. A peine quelques gestes lents. Les structures mêmes de mon univers sont secouées. Je comprends qu'elles ne céderont — car elles devront céder — que le jour où j'aurai la force de porter la vie qui en jaillira. Sinon, je deviendrai folle ou mourrai, comme Micheline. Je n'en ai aucun doute.

Cet univers qui structure ma cohérence et mon rapport au monde, m'apparaît de plus en plus comme une prison qui s'effrite. Déjà, je respire mieux. J'exige, si j'ose dire, ma totale libération. Je veux passer la porte qui me ramènera dans mon jardin intérieur, là où je pourrai cultiver ma terre et faire germer son fruit, dans une conscience continue du Souffle qui me fait vivre et dans un dialogue constant avec le Père. Je veux être totalement libérée de ma peur, par la grâce de Dieu.

Parfois, je courbe sous les doutes, la culpabilité, la peur de l'orgueil et la crainte d'être moraliste. Alors, je me tais, je fais des détours, j'arrondis mes mots, je m'excuse et je deviens fade. Il m'est plus facile d'accepter la maladie qu'exiger la santé. Il y a en nous une semence, un germe, un « quelque chose » qui désire croître — le Germe du Fils de Dieu que nous sommes appelés à devenir, nous dit la tradition judéo-chrétienne —, et une force qui semble résister, faire obstacle, l'Adversaire. Je m'identifie davantage à l'Adversaire qu'au Germe du Fils. Mon mal de dents, que je n'arrive pas à soulager malgré de nombreuses visites chez le spécialiste, commence à me révéler son message et son secret. Desserre les dents, me dit-il. Laisse la Parole jaillir de toi. Tiens-toi debout, droite. Rappelle-toi que tu es fille chérie, bien-aimée de ton Père et chante Sa Gloire.

J'écris ces derniers mots avec crainte, comme si je m'appropriais un trésor qui ne m'appartient pas et qui peut me brûler les mains. Mais ce trésor a été placé dans mes terres, il est caché dans mon champ (*Mt* 13,44). Je veux ce champ. Je veux ce trésor.

J'écris ces lignes et toute ma pensée vacille. Quelque chose s'apprête à s'ouvrir et se referme. Une lumière commence à briller et disparaît aussitôt, recouverte d'un voile. Je n'arrive pas à la saisir ni à me laisser saisir par elle. Cette danse de lumières et de ténèbres m'étourdit et m'enivre. Des mots et des événements s'élancent et participent au mouvement : le suicide de Micheline, mes dents qui font mal, l'Hébreu qui dans mes rêves me montre à tuer pour vivre, l'Adversaire que je suis, mes pieds et mes mains amputés, mon désir fou de retourner au paradis...

Pourquoi ces amputations anciennes viennent-elles, à nouveau, me hanter ? Comprendrais-je bientôt la signification ontologique de cette offrande de mes pieds ? J'en ai déjà compris la motivation psychologique mais je sais, depuis longtemps, que cet événement de ma vie ne m'a pas encore révélé tout son secret. Par hasard, cette semaine, je suis tombée sur ce passage de l'Évangile où Jésus dit (*Mc* 9,45) : « Et si ton pied est pour toi une occasion de péché, coupe-le. Mieux vaut entrer estropié dans la Vie que d'être jeté avec tes deux pieds dans la Géhenne. » Pourquoi ce hasard ? Mes pieds, occasion de péché ? Que comprendre ?

Au cœur de ces questions, la Bien-aimée du *Cantique des Cantiques* s'élève en moi, comme si elle renaissait des cendres de mes pieds. J'entrevois, pour la première fois, sous les traits de la Bien-aimée, toutes mes énergies inaccomplies, animaux en cavale et sauvages, émotions négatives, les « pas encore ». Je regarde tout cela avec tendresse et j'ai le goût de les serrer contre moi. C'est ainsi que je me présente, inaccomplie, bien-aimée de Dieu, à la porte du jardin d'Éden.

## Mon histoire et l'histoire de Dieu

Depuis toujours, j'étudie, recherche et contemple l'histoire de Dieu. Elle m'inspire ou m'irrite, selon mes humeurs ou selon les mots utilisés par les auteurs et les enseignants. Quel que soit le lieu où j'ai cherché, il y a toujours eu une distance infinie entre Son histoire et la mienne. Deux histoires séparées, parallèles, où le monde de Dieu intervient dans le monde des hommes par Jésus, les Saints, les anges, à travers les miracles et les épreuves.

Cette séparation était tellement incrustée dans ma conscience qu'elle était d'une évidence qui n'appelle aucune confirmation et qui ne demande aucune affirmation. Comme on n'affirme pas que les hommes marchent sur la terre, les pieds au sol, et que les arbres poussent leurs branches dans l'espace.

Je savais pourtant que le Royaume des Cieux est en nous et qu'il faut le rechercher à l'intérieur de soi. Quand Annick de Souzenelle précise que le Monde-d'en-haut est distinct, mais non séparé, du Monde-d'en-bas, dans ma tête et dans mon cœur, sans m'en rendre compte, je visualisais plus de trouées et de canaux entre ces deux mondes qui restaient toutefois, dans mon expérience, des mondes séparés.

C'est ce mur de séparation qui semble fondre. Pour la première fois, je suis dans l'Histoire de Dieu et cette Histoire est aussi la mienne. Ma vie de foi et ma vie sont une, intimement tissées l'une dans l'autre.

J'entrevois des lueurs. Mes yeux éblouis commencent à discerner une réalité autre. Mon estomac se serre, mon cœur bondit dans ma poitrine, des larmes coulent de mes yeux et des sanglots montent, comme des vagues, du fond de mon ventre. Pourtant, je ne suis pas triste.

L'espace s'ouvre. Il n'y a plus la même opacité entre l'extérieur et l'intérieur, mais une sorte de continuité pulsée par le même Souffle. Le rêve et le désir n'ont pour frontières que la rigueur du chemin à parcourir. J'ai de la difficulté à décrire et à expliquer l'expérience que je vis maintenant. Mes mots sont tellement pauvres.

Mon corps n'est plus un véhicule, ni un compagnon commode ou malcommode. Il n'est pas seulement le lieu qui permet, objective ou manifeste un travail intérieur. De nombreuses frontières érigées entre les choses de Dieu et les choses de l'homme, entre l'extérieur et l'intérieur, entre les autres et moi, entre la nature et les hommes, entre le corps et l'esprit perdent sous mes yeux leurs couleurs et leurs formes. Ma vie sur terre est la respiration de Dieu.

Un air de liberté, dont je n'avais jamais soupçonné l'existence, commence à soulever ma poitrine. Je me tiens droite et je m'incline devant ce qui se découvre à moi.

## L'Adversaire

La bataille se corse. Je fais ce rêve : « Un accident nucléaire se produit dans le bas de la ville. Les habitants de la ville ne le savent pas et continuent leurs occupations comme si de rien n'était. Affolée, je crie le nom de Marie Hélène et essaie de la rejoindre. J'ai très peur de ne pas pouvoir la retrouver dans le tohu-bohu qui se déclenchera dès que les gens sauront ce qui s'est passé. » Je me suis éveillée avec un mal de tête carabiné, des maux de gorge et une sensation de trou dans le ventre.

Je vis mon quotidien comme les gens de mon rêve

qui ne savent pas. Je suis allée à la montagne avec mon chien. Au retour, j'ai savouré un bon café et continué mes leçons d'hébreu. Mais, comme dans mon rêve, à la limite ou au fond de ma conscience, je sais qu'une fabuleuse décharge d'énergie se prépare.

Je ne sais trop le lien qu'il y a entre ce rêve et ma longue conversation d'hier avec Marie Hélène, mais il y en a un. Avec elle, j'ai pu nommer quelques ruses de l'Adversaire. L'Adversaire m'a souvent séduite par le confort intérieur que produit la bonne conscience satisfaite d'elle-même. Il m'a aussi ensorcelée avec tous les fruits que procure le combat quotidien avec la maladie et les handicaps, que ces fruits soient la fierté de la lutte bien menée, le respect qu'elle évoque ou le repos auquel elle donne droit.

L'Adversaire devient plus rusé. Il m'agrippe avec ma peur de l'orgueil. Depuis de nombreuses années, je sais que l'orgueil, la prétention, les éloges et les applaudissements peuvent tuer ce qu'il y a de meilleur dans l'être humain et le dépouiller de sa mémoire de lui-même. La personne devient un personnage vide, une caricature, et elle ne le sait pas.

Je me méfie de l'orgueil comme de la peste. Tous les deux défigurent, même quand l'orgueil se pare de ses plus beaux atours. Ma méfiance de l'orgueil prouve que j'en suis menacée. Pour lui résister, je me retire, je me tais, je fais attention, je me fais humble. Et me voilà piégée : j'essaie de conquérir l'humilité par la force de ma volonté.

Jouant ce jeu de l'Adversaire, je tais ce que je sais et m'emprisonne dans le petit, comme un Beethoven qui n'aurait écrit que des symphonies minables, de peur de devenir orgueilleux. Comme un arbre qui refuserait de pousser ou comme une fleur qui resterait en bouton pour ne pas s'enorgueillir. Refuser ses dons et sa destinée par peur de l'orgueil est un piège tricoté serré, avec des fils aux couleurs variées et entremêlées. J'y suis prise comme dans une toile d'araignée. Je me détache d'un fil et me coince dans le fil suivant. C'est un piège aux têtes multiples qui broient ma force.

C'est bien ma force dont il est question. C'est bien la Force que je porte dont il s'agit. Car c'est bien la Force qui a été semée en moi dont il s'agit.

Sous prétexte de refuser l'orgueil, je refuse la Force. J'utilise nonchalamment mes capacités, j'affirme très rarement ce que je sais, je parle tout en nuance ou je me tais. Je tiens en laisse cet animal puissant qui m'habite. J'en viens même à ne plus ressentir sa puissance et à le transformer en petit animal docile et parfois niaiseux.

J'ai eu peur d'écrire mon premier livre par crainte de l'orgueil. Après sa parution, je n'osais en parler pour le même motif. J'hésite à écrire ce livre-ci pour la même raison. Par peur de la peste, je refuse de parler. Il est remarquable que ces deux mots, peste et parole, soient presque identiques en hébreu. Ils sont composés des mêmes lettres, seule leur prononciation les distingue.

Je ne veux pas être orgueilleuse. Je ne veux pas être moraliste. En voulant me mettre à l'abri de ces plaies, je me tais et refuse d'être. Une autre victoire de la bonne conscience et de l'Adversaire.

J'ai aujourd'hui le goût de laisser être cet animal puissant qui est en moi. Au risque de me tromper. Au risque de l'orgueil. Au risque d'avoir peur. Au risque de me faire chahuter. Au risque de me distinguer et d'être vue. Au risque de tomber. J'ai le goût non pas d'apprivoiser cette Force, mais de me laisser conduire par Elle. Elle a été semée en moi et exige aujourd'hui de vivre. Ma peur de l'orgueil me limite. Cette Force seule me libérera de l'orgueil.

Une formidable décharge d'énergie se prépare. Je la désire de tout mon cœur et j'en ai peur. J'ai peur de ne plus me retrouver dans ce que je connais de plus précieux en moi. Ces derniers mois, j'ai laissé allé plein de choses dans ma vie. J'ai même accepté que Marie Hélène puisse mourir. Aujourd'hui, je dois accepter que le noyau de mon être puisse éclater et disparaître dans les ébranlements qui suivront l'explosion d'énergie.

« Et c'est peut-être l'expérience la plus étrange que l'Homme puisse faire au seuil du chemin de son accomplissement, d'être cet être avec qui il a eu jusqu'ici coutume de vivre — et qui celui-là ne sait rien — et de toucher en même temps au fond de lui un plus que lui-même — celui-là déjà informé du sublime —. » (Annick de Souzenelle 5, p. 66)

TROISIÈME ÉTAPE

# À LA RENCONTRE DE LA VIOLENCE

J'HÉSITE À REPRENDRE la plume tant il y a d'avenues devant moi. De quoi vais-je parler ? De ces pas de danse que je fais en mon cœur et que j'esquisse spontanément avec mes bonnes vieilles prothèses qui m'apparaissent tout à coup moins lourdes ? De ce rire qui me soulève le ventre ? Des chants que j'invente en lavant la vaisselle ?

D'une promenade en traîneau tiré par huit beaux chiens Huskies dans un paysage féerique ? C'était un cadeau de Marie Hélène. Nous y sommes allées ensemble, chacune avec son traîneau, ses chiens et son guide. Une neige nouvelle recouvrait les lacs et les bois et continuait de tomber doucement.

La promenade a été, pour l'une et l'autre, initiatique, comme si en glissant silencieusement entre les arbres, nous avions voyagé dans l'ailleurs. Les frontières du rêve ont éclaté. Le désir a jailli avec une telle poussée que j'avais le goût de faire l'amour avec la terre.

Une semaine plus tard, repensant à cette dernière phrase venue spontanément à la conscience, je comprends que cette terre pour laquelle j'éprouve tant de désir est d'abord intérieure. Terre intérieure et terre extérieure semblent se répondre et vibrer du même son. Les chiens courant devant moi ouvrent l'espace qui prend alors la dimension des grandes plaines du nord se mêlant au ciel. L'espace en moi s'ouvre, laissant entrevoir la libre immensité, la fécondité et l'abondance. Mon regard retourne vers les êtres humains que je commence à voir comme des frères.

Mon regard est, à vrai dire, encore fragile. Je ne sais regarder les bassesses et les horreurs dont nous sommes capables sans me laisser aspirer dans des batailles absurdes, stériles et destructives. Connaître ces choses, les voir, m'amène souvent dans une forêt de ronces dont je n'arrive pas à me libérer. Elles m'envahissent la tête, le cœur et le corps. Elles tissent des chaînes qui prennent la forme du dégoût, de la haine, de la rancune, de l'argumentation, du goût de dénoncer ou de me venger, du goût de fuir ou de m'isoler... Un grand trou noir dont je devine l'ampleur, m'aspire vers le fond. La tentation est aussi forte que mon jugement : ce sont des bassesses, des hypocrisies, des mensonges et des horreurs. J'ai d'autant plus de difficulté à éviter ces batailles de ruelles qu'elles se déroulent à ma porte et sous mon nez. Ma première réaction est une condamnation : ils sont fous. Ces fous ne sont pas mes frères. Eux, moi. La frontière résiste.

La séparation se fait parfois plus ténue et je sais alors que nos chemins s'entrecroisent et se nourrissent l'un de l'autre. Dans ces moments, les horreurs attisent, non mes jugements, mais un sentiment d'urgence de poursuivre le travail et ma volonté de continuer à danser sur mon chemin.

## Huit chiens

Les mots « huit » et « chiens » se sont mis à clignoter devant moi pour attirer mon attention et me révéler un secret. Huit est le nombre de la barrière, mais aussi de la résurrection et de l'ouverture à une nouvelle lumière. Le chien en hébreu est *kéleb* et son nom chante le mouvement, le dynamisme et le Souffle de l'Esprit au cœur de la création. Le chien porte en lui les énergies du mot cœur, du mot tout et de la négation rien. Les mêmes lettres forment le mot lien, chaîne.

Les mots « huit » et « chiens » continuent de clignoter devant moi. Ils sont ce chien qui gambade devant Tobie et qui l'accompagne durant son voyage avec Raphaël (*Tb* 11,4). Ils sont une lumière sur mon chemin. Ils sont tout et rien. Ils sont le cœur et cachent le mot douleur. Ils sont liberté et chaîne. On dit qu'ils sont près de Dieu.

Ces huit chiens courent devant moi et par leurs

forces et leurs efforts me font glisser librement sur la neige. La neige en hébreu est le mot *sheleg* tout pétri de l'Esprit.

Nous savons Marie Hélène et moi que cette expérience nous a entrouvert un ailleurs qui nous laisse sans mot. Nous savons que « ça » s'est passé. Mais quoi au juste, nous n'arrivons pas à le dire. Les huit chiens dans la neige commencent à me révéler leur secret. Ils sont l'image d'un travail à l'intérieur de nous. J'ai le goût de me rouler dans la neige avec eux. Je danserais sur les toits avec ce vieux Juif et son violon*. J'ai souvent, ces jours-ci, le cœur à rire, à chanter et à jouer.

Je le sais, le travail d'enfantement se continue. Par le Souffle et la Puissance de l'Esprit. Iahouh! Voilà le nom du Sauveur et de Yahvé qui se forme sur mes lèvres dans un cri de joie, Iahouh** !

## Seigneur, prends pitié

Ce chemin est vraiment au-dessus des forces d'une personne seule. Je n'ai plus aucun doute: il est au-dessus de mes forces. Les chiens m'avaient fait entrevoir l'espace. L'espace s'est refermé et je suis dans le noir. Les ténèbres m'envahissent. J'appelle une nou-

---

* Le film *Un violon sur le toit.*
** Yahvé et Iahouh s'écrivent en hébreu, avec les mêmes lettres : le yod, le hé, le wav et le hé.

velle intelligence et une nouvelle sagesse car je ne comprends plus.

Depuis dix jours, l'adversité n'arrête pas de frapper. Les instruments utilisés pour nous faciliter la vie ont brisé à tour de rôle : le fauteuil roulant, le camion, mes lunettes et mes prothèses dentaires. Nos béquilles extérieures ne nous supportent plus. Marie Hélène est actuellement en crise inflammatoire.

La tempête sévit. Je décide d'aller reconduire Marie Hélène au travail. Après avoir péniblement enjambé plusieurs bancs de neige, après m'être embourbée dans la neige avec le camion, il s'en faut de peu que je sois écrasée par mon propre camion. Marie Hélène, témoin de la scène, entend le cri d'un homme : « Elle va se tuer ! » Le camion recule, je suis agrippée à la portière, mes jambes traînent dans la neige. Un ange m'a protégée, je n'ai pas été blessée. Marie Hélène, qui essaie de venir à ma rescousse, se disloque l'épaule.

Je suis encore sous le choc. Mon corps est comme une amibe secouée par de gros sanglots. Seigneur, prends pitié. Seigneur, prends pitié. Seigneur, prends pitié. Je ne comprends plus rien. J'ai épuisé toutes les ressources de mon intelligence et de mon cœur. J'ai cherché à comprendre par la réflexion, par des lectures, par la prière, par l'écriture, par les échanges avec Marie Hélène.

Je suis au bout et à bout. J'ai cherché à comprendre et j'ai cherché à suivre les directions que m'indiquait mon cœur. Je suis au bout. Je suis à bout. Je ne peux que répéter : « Seigneur, prends pitié. Seigneur, prends pitié. »

Je n'ai plus de réponse. Je suis un petit soldat épuisé. Pensant à Marie Hélène, à moi et à tant de personnes qui cherchent et souffrent, j'ai le goût de dire : « Mon Dieu, tes vaillants petits soldats sont très fatigués, très fatigués. » Comme Élie, j'ai le goût de m'incliner tête et genoux au sol pour demander (*1 R* 18,42) je ne sais trop quoi, à je ne sais trop qui.

Peut-être une nouvelle sagesse qui perce le cœur des choses, des événements et des personnes. Peut-être une nouvelle intelligence qui me révèle les secrets que j'ai besoin d'entendre. Peut-être un nouveau cœur pour m'insuffler les forces dont j'ai besoin. Peut-être une Présence en moi qui prenne la relève, qui relève de ses fonctions le brave petit soldat épuisé. Je Te le confie mon Dieu. Je Te confie ce brave et vaillant petit soldat et tous ces braves et petits soldats que nous sommes. Prends pitié de nous

Je m'en remets à Toi, Père, donne-nous ce dont nous avons besoin. Donne à tous tes vaillants soldats ce dont ils ont besoin. Par la grâce de ton Fils Jésus et par le Souffle de l'Esprit. Seigneur, prends pitié. Je mets mon espoir en Toi Seigneur, en Toi qui m'habite. Prends la relève, Seigneur.

À ce point, je ne suis que sanglots et je ne sais qu'une chose : j'aime ma sœur Marie Hélène. Comme la femme de l'Évangile (*Mt* 15,21-28) qui ne cesse d'importuner les disciples et de crier vers Jésus de prendre pitié d'elle et de guérir sa fille, je ne peux que répéter et répéter et répéter : Seigneur, prends pitié de nous, si Tu le veux, Tu peux nous guérir.

Un an après la fracture du fémur, j'éprouve le même sentiment qu'à la salle d'urgence. Le même état de choc. Un même oui au fond du cœur. Le même dépouillement et le même détachement. Je me laisse porter par les eaux qui, d'abord en furie, se calment peu à peu. Je respire.

### Une lumière nouvelle

Je comprends d'une toute nouvelle façon mon itiné-raire des dernières années. Dans un livre écrit il y a plus de dix ans, j'ai nommé et intégré l'expérience acquise avec mon corps malade et handicapé. L'œuvre, à ce niveau, était complétée. Il fallait continuer. Le livre se terminait par la prière suivante : « Seigneur, donne-moi un cœur d'enfant et le courage d'agir comme une adulte. » Sans le savoir, cette prière don-nait l'orientation et la couleur du nouveau chapitre que j'allais vivre.

Je réoriente alors mon travail et rencontre de nou-velles personnes. Après quelques années et beaucoup d'efforts, je me sens à nouveau errante, j'étouffe et j'ai la sensation, de plus en plus forte, que quelque chose doit briser. Quoi et comment ? Je ne le sais pas.

Le « hasard » me mène ensuite chez un thérapeute qui travaille sur la mémoire des cellules à l'aide de prismes de couleurs*. Dans les semaines et les mois qui suivent, je découvrirai douloureusement l'existence de ces trois personnages qui contrôlent ma vie. Je continuerai de vivre avec eux, bouleversée de leur emprise.

C'est alors que je tombe malade, très malade. Je refuse obstinément d'aller à l'hôpital, malgré tous les signes vitaux qui indiquent la gravité de la crise et le danger pour ma vie. La détermination et l'obstination de Marie Hélène, les paroles d'un médecin ami et le souvenir de mon frère Rosaire me font finalement accepter l'ambulance, l'urgence et l'hospitalisation. Je comprends que je vais mourir d'une septicémie, comme mon frère Rosaire, si je ne fais rien. L'espace s'ouvre, je décide de vivre.

À l'hôpital, on découvre un abcès grave le long du fémur de ma jambe droite. Je prends congé de l'hôpital trois semaines plus tard, avec un abcès ouvert sur le côté de la cuisse et un cadeau, mon premier livre d'Annick de Souzenelle. Un long travail commence.

J'aime le *Symbolisme du corps humain* dès la première lecture. J'essaie de me comprendre, de comprendre ma vie et mon corps en y appliquant le schéma décrit par Annick de Souzenelle. J'ai parfois l'impression de saisir quelque chose. Très souvent, tout me semble abstrait et détaché de moi.

Aux prises avec des difficultés quotidiennes avec notre corps, Marie Hélène et moi lisons et relisons ce

* Holothérapie.

livre. Nous éprouvons le désir de plus en plus grand d'avancer sur notre chemin intérieur et de faire ce retournement dont parle Annick de Souzenelle. Nous nous sentons prêtes à passer « la Porte des hommes* ». Tous les jours, je prie : « Père, je me confie en toi, indique-moi le chemin où je dois marcher. »

Puis, le même jour, Marie Hélène tombe dans sa cuisine et se disloque le genou, je tombe chez moi et me fracture le fémur. Sans comprendre, nous nous inclinons et disons « oui » à ce qui arrive. La blessure au côté de la cuisse guérit dans les jours qui suivent la fracture. J'ai cessé de perdre mes énergies à l'extérieur de moi.

Je vis à l'hôpital une expérience si dense et intense que je suis certaine d'avoir passé la « Porte des hommes ».

## À l'hôpital : la nuit

Il y a de cela un an. L'opération a eu lieu. J'ai maintenant une tige de métal au centre du fémur. Je repose dans mon lit. Marie Hélène est près de moi. Je partage la chambre avec trois autres dames malades que j'observe depuis quelques jours.

Une sensation très forte naît dans mon ventre et une phrase de Jésus s'impose à moi avec force. Elle

---

* « Quitter le premier étage de l'existence pour entrer dans l'Être, passer la porte étroite que les traditions nomment "Porte des Hommes"... » (*Symbolisme du corps humain*, p. 65 et suivantes).

semble s'écrire en moi : « Aimez vos ennemis ». À mesure qu'elle pénètre mon cœur et mon esprit, mon regard se modifie. Cette phrase, qui m'était apparue jusqu'alors comme une sorte d'idéal chrétien inaccessible, prend une actualité et une réalité qui me concernent directement. J'entends, pour la première fois, le cri, l'appel et le besoin qui hurlent au cœur de tout ce que je trouve laid, haïssable, au cœur de l'ennemi. L'expérience est aussi réelle et certaine que le fait d'être dans un lit d'hôpital. Elle me réchauffe le cœur.

Je regarde l'ennemi avec des yeux neufs. Le désir d'arriver à l'aimer s'implante et s'enfonce en moi. Je comprends que l'ennemi à aimer est en moi, qu'il correspond à tout ce côté de moi, inaccompli, ténébreux, que j'ai à transformer et que l'ennemi extérieur ne fait qu'objectiver.

L'enseignement de cette nuit ne faisait que commencer. Dieu allait faire tomber un sommeil sur moi comme sur l'Adam (*Gn* 2,21) pour m'informer et m'instruire.

Si j'ouvre les yeux, je suis dans la chambre d'hôpital et regarde dormir les trois dames. C'est sécurisant et tranquille. Si je ferme les yeux, j'entre dans un monde aussi réel et précis que celui de la chambre. J'ouvre et je ferme les yeux à plusieurs reprises avant d'accepter, le cœur battant, de me laisser saisir par ce monde qui m'attend. J'approche une terre qui m'apparaît être une immense mer de boue en ébullition. La puissance et la vie qui se dégagent de cette mer me terrifie. En priant, je m'en approche, ne sachant trop si j'allais y pénétrer et être engloutie.

Plusieurs heures s'écouleront avant que je reprenne contact avec ma vie dans la chambre. Je ne me souviens pas de tout ce que j'ai vu, mais je sais que je disais fréquemment : « Ce qu'a écrit Annick de Souzenelle est vrai, littéralement vrai. Elle n'écrit pas en figures de style. C'est vrai. » Je garde, à mon retour, cette certitude et quelques images.

Dès mon entrée dans la mer de boue, je suis entourée de nombreux êtres qui s'agrippent et se collent à moi. Ils sont difformes, laids et gris. Leurs visages changent continuellement de formes. Ils expriment une intense douleur, une grande horreur et une profonde détresse. J'ai peur et je me demande si je suis au séjour des morts. Je comprends peu à peu leur appel et leur attente. Mon regard devient plus affectueux et la peur me quitte. Je me demande si mon frère Rosaire est là et si ma visite peut l'aider.

Un voile recouvre en grande partie la suite de cette visite. Je me souviens de deux images : mes mains qui irradient une puissante énergie, une lumière, et un grand espace bleu qui respire. Je sais que tout est vrai. Tout au long de cette visite dans un monde d'une puissance inimaginable, je suis accompagnée par un guide.

Mon guide m'amène ensuite devant un mur et me demande si je veux aller de l'autre côté. Je vois l'eau qui coule derrière le mur, comme à travers une grande fenêtre. J'ai très peur. J'invoque Dieu en pensée et je dis oui. Dès le oui formulé dans ma tête, je suis aspirée par une force puissante. Mon corps encaisse la résistance du mur et le traverse. Je me retrouve dans les eaux turbulentes d'un fleuve, puis sur un chemin accroché dans le vide qui sillonne l'espace. Je vois, en-dessous de moi, des hommes tous habillés de la même façon — habit, cravate et chapeau — qui refont toujours le même geste comme des automates. Ils sont partout où je porte mon regard.

Quelque chose, quelqu'un ou quelque bête me suit. À chaque pas, j'entends le bruit « qu'il » fait derrière moi. Je marche plus vite : le bruit s'accélère et se rapproche. Le bruit, comme un coup de tonnerre bref et violent, fend l'air à chaque pas que je fais. Je panique. Ce quelque chose-personne-bête me saisit par les pieds, me retourne la tête en bas et se prépare à me plonger la tête dans l'eau. Suspendue dans le vide, je crie.

Le cœur battant, je me retrouve dans la chambre. J'aurai besoin de longues minutes pour me calmer. Je regarde les dames qui dorment paisiblement et je n'ose refermer les yeux.

Plusieurs minutes plus tard, je referme les yeux et je me retrouve aussitôt sur un chemin en haut d'une colline. Je suis plus calme. Je veux continuer. Sur les pentes, de nombreux animaux, surtout des agneaux, sont retenus prisonniers, les pattes enfouies dans la terre. Un berger regarde la scène sans intervenir. Mon chien Ramsès est près de moi. J'ai mon plan pour délivrer les animaux et je demande à Ramsès de m'aider. J'avance. Ramsès ne bouge pas. En mettant le pied sur le sol où sont retenus les animaux, je glisse, dans du sable mouvant, jusqu'à la rivière au bas de la colline. L'eau très bleue m'emporte dans son courant. Je nage. Je n'ai pas peur. Des bras essaient de me retenir en arrière et je ne cesse de leur demander : « Mais qui êtes-vous ? Quel est votre nom ? » Un bras me saisit à la gorge. J'étouffe. Je crie.

C'est le matin. La nuit est terminée. Je suis transportée par ce que je viens de vivre. Je ressens une énergie débordante.

Je pense alors le travail terminé : je n'ai qu'à saisir les premiers fruits. Quelques jours plus tard, après mon retour à la maison, une douleur violente me paralyse, me fait hurler et me cloue au lit. Le bas de mon dos est en feu. Les douleurs martèlent mon corps plusieurs semaines. Je cherche alors à comprendre. Qu'est-ce que je n'ai pas fait ? Pourquoi « ça » après tout le reste ? Après chaque épreuve, j'attends la naissance. À chaque nouvelle épreuve, je cherche ce que je ne comprends pas encore. Ma vie n'a jamais été la même après cette hospitalisation. Mais aujourd'hui, un an plus tard, après de nombreuses lectures, après m'être imprégnée des grands mythes de notre histoire judéo-chrétienne et m'être laissée façonner eux, je commence à comprendre, alors que ces images de la nuit me reviennent en mémoire, alors que les ténèbres de cette semaine se lèvent et que j'entrevois une nouvelle lumière, qu'au cours de cette grande nuit, Dieu venait de m'instruire du chemin et des fruits que je pourrais mûrir. Il me plaçait dans l'axe de Son Nom. Les contractions pouvaient commencer.

Il est vrai, comme le dit Annick de Souzenelle (1, p. 163), que les contractions sont « sur un plan subtil, comme de successifs durcissements des événements de notre vie ». Je peux en témoigner.

Plus j'avance, plus je sais l'ampleur de l'œuvre qui se fait en moi et plus je me sens petite. Je rends grâce à l'orée de ce qui m'apparaît encore un miracle de la vie mais que je sais être la vraie nature de la vie. J'ai peine à croire que je sors d'un film qui se prend pour la vraie vie, que je me détache enfin de la pellicule pour vivre libre.

J'ai peine à croire que je participe à l'expérience de Marie qui met au monde le Fils de Dieu. L'Incarnation nous concerne tous et elle est en train de s'accomplir en Marie Hélène et moi. Le travail continue. La naissance approche. Je n'ai pas de mots pour décrire le mystère de l'Incarnation. Je contemple la grandeur, la magnificence, la beauté et la puissance de ce qui se passe. Et je comprends le rire de la femme d'Abraham (*Gn* 18,12).

## Une fausse question

« Je suis avec Marie Hélène et nous attendons ses parents qui reviennent de l'espace. Nous recevons enfin un message d'eux : ils reviennent de la planète Mars et nous demandent de les attendre en un lieu précis et à une heure précise. Son père a été investi d'une nouvelle force et, comme un prêtre, il pose ses mains sur la tête de Marie Hélène et moi, agenouillées devant lui. La mère de Marie Hélène est en retrait et entreprend un temps de pénitence. Le père de Marie Hélène nous remet à chacune une feuille sur laquelle est écrit ce que nous devons faire jusqu'au 14 février (nous sommes aujourd'hui, le 1er février). Il ramène ces directives de là d'où il vient. Je lis les directives et les trouve bizarres. Je me retrouve ensuite dans une auto avec le père de Marie Hélène. Il conduit l'auto en reculant et essaie de monter une pente très glissante. Il a fixé un bâton à son pied pour rejoindre l'accélérateur. Je suis étonnée de cet ajout. L'auto dérape, brise le parapet et s'élance dans l'espace. Le père de Marie Hélène me dit de ne pas avoir peur. Nous atterrissons doucement sur un lac gelé, où sont réunies plusieurs personnes participant à une sorte de cérémonie religieuse dirigée par le père de Marie Hélène. Je raconte à Marie Hélène le miracle dont je viens d'être témoin. Nous sommes ensuite dans un petit local où se déroule une réunion spirituelle. Un enfant dérange et le père de Marie Hélène le prend brusquement par le bras. Je confonds sa brusquerie avec la rigueur. L'enfant arrête de pleurer. J'entrevois alors que Marie Hélène travaillera avec son père et qu'ils seront prospères. »

Le rêve est clair et baigne dans une atmosphère sacrée. Pourtant, au réveil, je reste mal à l'aise. Il y a là quelque chose de faux. J'associe spontanément le vol de l'auto dans les airs à la tentation où Satan propose à Jésus de se laisser tomber du haut des airs afin d'être protégé par les anges (*Lc* 4,1-13). D'autres détails du rêve me fatiguent. Pourquoi le père de Marie Hélène a-t-il besoin d'un ajout à son pied ? Pourquoi atterrir sur un lac glacé plutôt que sur la terre ferme ? Tout ce rêve, d'abord attirant, sonne faux. Je devine la tentation et l'illusion de la puissance.

Mais en quoi ce rêve parle-t-il de ma vie ? Quelles sont les illusions qui brouillent ma vue et par lesquelles je me laisse tenter ? Je relis le passage de l'Évangile où sont décrites les tentations de Jésus. Je découvre que la planète Mars est une planète rouge associée à la guerre. Je ne sais trop que penser. J'attends.

Le lendemain, à l'occasion d'une conversation avec Marie Hélène, je commence à comprendre. La question : « Ai-je passé oui ou non la Porte des hommes ? » dissimule la tentation. Elle laisse entendre une victoire personnelle, une sorte de graduation. La question donne l'illusion du fruit à cueillir, mais emprisonne dans l'avoir. La question est séduisante. Guetter le moment où je pourrai y répondre affirmativement, c'est succomber à la tentation. La question est sournoise. Elle n'a pas d'importance. Seul le chemin est important.

Seul est important ce son que j'entends derrière moi. Seul est important le son de cette symphonie qui se joue dans le monde et dont je commence à entendre les pulsations. Seule est importante cette divine symphonie qui veut se saisir de moi, avec de vibrants coups de trompettes, de tambours et de tonnerre, et à laquelle je veux me joindre pour jouer ma partition.

Je pensais saisir et je suis saisie. Comme dans « la nuit » d'il y a un an, tout bascule et se retourne. Je suis suspendue la tête en bas.

### La vie et le vide

C'est hallucinant. J'ai l'impression d'être en train de naître. Une partie de la partition que j'ai à jouer dans cette grande symphonie du monde, est d'écrire le plus précisément possible ma propre naissance.

D'ailleurs, l'écriture a commencé ainsi : je me suis levée un bon matin et je savais que je devais écrire. Quoi ? Je n'en savais rien. J'ai d'abord pensé que j'écrirais sur la bonne conscience, la mienne et celle des autres. Il n'en fut pas ainsi. Les paragraphes et les chapitres se sont mis à couler devant moi. Je faisais l'œuvre qui me faisait. Je suis l'auteure et l'œuvre en même temps. Nous dansons ensemble, séparées et confondues, pulsées par un Souffle et une musique qui m'enivrent et me font perdre la tête.

À chaque nouveau pas, à chaque découverte d'une terre nouvelle, à chaque plongée dans les ténèbres, j'entends la Voix : « Il faut écrire ça ». Et j'écris.

La vie semble renaître à partir des cendres. Les mythes anciens de la création, de la chute, du déluge, de l'histoire d'Abraham et de la sortie du peuple hébreu hors de l'Égypte, étaient bois mort, vidé de sa sève et de son sens. Peu à peu, ce bois reprend vie, devient arbre vivant et nourrit mes racines.

Les prières et les symboles chrétiens respirent d'une nouvelle vie. Ils sortent de la torpeur et secouent la poussière qui les recouvrait. Même les morts sortent de l'oubli. Je pensais rarement à mes parents, jamais à mon frère Jacques et de moins en moins à mon frère Rosaire, tous décédés, il y a plusieurs années. Depuis quelques jours, ils sont devenus un à un très présents. Je ne sais où ils en sont, mais j'ai de plus en plus la certitude que nous vibrons ensemble et que la vie circule entre nous. Jacques, auquel je ne pensais jamais, est celui qui est le plus éveillé et souriant. Ainsi, morceau par morceau, la vie renaît en moi. La qualité de l'air change.

La Vie me fait un clin d'œil, me soulève, se voile et me dépose lourde, errante et vide. Ainsi va la danse.

J'ai vu, quelques instants merveilleux, couler l'eau vive du creux de moi-même. L'eau ne coule plus. Elle n'est pas tarie. Elle creuse plus profondément la pierre que je suis.

Je vois son travail dans mes rêves. Dans ce mot hébreu *harbeh*, qui est venu m'éveiller une nuit et qui n'a pas cessé de m'interpeller toute la nuit durant. Ce mot hébreu signifie « beaucoup ». Il porte en son cœur le mot fils-germe, saisi entre deux souffles, deux sons qui chantent la vie. Ce mot ne m'a pas encore révélé tout son secret, mais il m'habite continuellement.

Puis il y a le rêve de ce matin : « Je déménage de mon ancienne maison. Les voisins disent que plus rien ne pousse dans les jardins. Je sais que dans mon jardin de nombreuses fleurs poussent autour de l'arbre et ont atteint le faîte de l'arbre. Je vois même des roses à travers le feuillage. J'espère que le nouveau propriétaire verra ces fleurs et ne les détruira pas. » Le rêve est plein d'images gorgées de signification : la terre infertile, le jardin fertile que je laisse, l'arbre, les roses, le départ vers l'ailleurs.

Au réveil, j'ai l'impression que « ça » se passe, que quelque chose d'important se fait, mais les images se dissolvent rapidement. Pendant la journée, je touche peu aux choses et même les activités aimées acquièrent une lourdeur et une couleur de roche. Je redeviens une lente tortue qui avance pas à pas.

Mon regard accroche aux caricatures de la vie, à ces personnes mangées par leurs besoins d'être aimées, de posséder et d'être remarquées, à ces personnes, vides de substance, qui courent bruyamment dans toutes les directions. Comme l'extérieur est l'image de l'intérieur, il doit y avoir toute une pagaille en moi, dont je ne suis pas consciente, et à laquelle je refuse de m'identifier. Eux, moi. La séparation subsiste.

Mon regard accroche aux ténèbres de l'homme, à ce qui est inaccompli en lui. Il ne fixe pas, comme dans un miroir, la beauté et la lumière du monde. La laideur du monde me reflète : la beauté du monde ne peut me refléter ! Me voilà avec un seul côté de moi, boitillant dans la vie, traînant ce côté lourd de désespérance, amputée, dissociée, de mon côté lumière. *Harbeh*, disait mon rêve, me forçant à dormir sur le côté droit, puis sur le dos, puis sur le côté gauche de mon corps, et cela plusieurs fois dans la nuit. Tu es fils-germe encerclé, travaillé, par tes deux côtés, disait mon rêve. Je ne peux m'enfanter si je refuse de pénétrer les ténèbres et si je n'accueille pas la lumière. Je reconnais, dans ce regard prisonnier des ténèbres, une vieille attitude religieuse centrée sur le péché, le Vendredi Saint et la bonne conscience, vidée de la grâce de la Résurrection. Ce regard traduit aussi le biais du psychologue, plus habitué à regarder les blessures et à noter les défenses, les aberrations et les coins aveugles du patient que ses forces.

Séparer le Vendredi Saint de Pâques est une mort-désespérance. Ne m'identifier qu'au côté laideur, inaccompli de l'existence, c'est vider les ténèbres de leur lumière, c'est tuer la vie. Je veux respirer, bien plantée, droite, entre ces deux côtés de moi, ces deux souffles qui me structurent et me façonnent.

## Trop petits

Pas grand-chose à écrire. Je fais ce que j'ai à faire. Je prie. Je lis. J'étudie l'hébreu. Je m'occupe de toutes les petites choses du quotidien. Je me prépare. J'attends. Étrange impression.

Mon cœur et mon cerveau sont trop petits pour appréhender et contenir la réalité que je commence timidement à percevoir. Cette réalité dépasse tous mes schèmes, mon entendement, mes raisonnements. Je suis comme une vieille outre, incapable de contenir le vin nouveau. Cette réalité, que je commence à discerner, me brûlerait, m'anéantirait si elle entrait en moi d'un seul coup. Le Trop Grand déchirerait la petite outre de peau que je suis.

Je suis parfois impatiente d'être soulevée par la Puissance et l'Amour que j'entrevois. Je voudrais tant que mes lectures, mes réflexions, mes prières, mes découvertes deviennent une expérience vivante et continue.

Si je devais parler de ce que je vis et j'écris, les mots se heurteraient à la sortie de ma bouche, s'accrocheraient les uns les autres. Mon discours serait fade, vide et impuissant. Pour la première fois de ma vie, l'Histoire de Dieu et Son Incarnation me concernent intimement, dans ma chair, dans mon cœur, dans mon corps, dans mon cerveau. C'est la meilleure nouvelle que je pourrais annoncer. C'est la Bonne Nouvelle, sortie de l'histoire et des livres pour venir me visiter. Je ne peux en parler.

Mon cerveau et mon cœur sont trop petits. J'ai besoin d'une intelligence et d'un cœur plus grands d'où jailliront les mots qui aiment, chantent et dansent la Vie.

*  *  *

Je viens de relire tout ce que j'ai écrit et je suis tentée de le détruire. Comment pourrais-je rendre public ce long chemin ? N'est-ce pas « quétaine » et ennuyant ? C'est une chose de le vivre, autre chose de l'écrire. Où vais-je avec tout ça ? Les mots semblent tellement plats, ordinaires, sans poésie, sans couleur, sans souffle.

Ne devrais-je pas retourner à la pratique de la psychologie et gagner ma vie de cette sage façon, plutôt qu'avancer dans un projet qui mènera peut-être nulle part ? Tout a déjà été dit sur ce chemin royal. Les mythes, les contes, la Bible et les livres permettent d'en découvrir si merveilleusement la pulpe et la sève. Que viendrais-je ajouter ? Des mots plats, vides, pauvres ?

Le doute m'assaille. Je regarde ce manuscrit et il m'apparaît vide. Un texte sans âme. Un corps sans souffle. Je me sens d'ailleurs en ce moment-ci comme ce manuscrit : formée, informée, consciente et vide.

Comme au troisième jour de la Genèse, le sec-terre est apparu mais la verdure et les arbres n'ont pas encore jailli (*Gn* 1,9-13). Le Souffle de l'Esprit a œuvré pour faire le sec et pour qu'apparaisse la conscience mais Il n'a pas encore fécondé les terres. Cette conscience a besoin d'être fécondée et soufflée par l'Esprit, de prendre vie. Elle le sera et ce manuscrit prendra Vie où ils ne seront qu'une conscience stérile et vide, une bonne conscience.

La terre appelle les eaux d'en haut, un nouveau soleil et une nouvelle lune.

### Une armée de doutes

Je suis assiégée par une armée de doutes. Ils attaquent de tous les côtés.

Tout « ça » pour arriver « là » ? Quelqu'un pointe du doigt et fait défiler devant mes yeux mes hospitalisations, mes opérations, les douleurs endurées, subies, vécues depuis si longtemps, et me souffle à l'oreille : « À quoi bon ? À quoi bon espérer dans ton Dieu ? »

Que comprendre de ce Dieu qui accepte, dans une seule prière, l'offrande de mes pieds et qui ne semble pas répondre à des centaines de prières demandant la guérison de mon cœur ?

J'essaie de fuir la réalité. Ces histoires d'Incarnation et de Résurrection ne sont pas pour moi. Peut-être concernent-elles le paradis dans l'au-delà après une vie de souffrances ? Cette vieille croyance, vieille comme ma peau, me soulève le cœur.

Les doutes attaquent. Ils attaquent mon espérance. Ils ébranlent ma foi. Ils s'en prennent à mon identité même : qui es-tu pour espérer cela ? N'est-ce pas orgueil que d'espérer cela ?

Je refuse cette petitesse, cette fermeture de mon cœur, ce monde d'inquiétudes, de peurs et de culpabilités. Je ne veux pas me contenter de circuler entre les obstacles et faire mon possible. Qui suis-je pour vouloir plus ? Qui suis-je, mon Dieu, pour que tu te souviennes de moi ? « Qu'est donc le mortel, que tu t'en souviennes, le fils d'Adam, que tu veuilles le visiter ? » (*Ps* 8,5). « Qu'est-ce donc que l'homme pour en faire un si grand cas, pour fixer sur lui ton attention. » (*Jb* 7,17)

La tentation du regret, de l'apitoiement, du désespoir et de la régression est forte. L'absurde menace de m'engloutir.

Je reconnais ce lieu intérieur où ces sentiments reprennent possession de moi et me dévorent. J'abandonne le chemin, cesse toute recherche de sens spirituel et me dirige vers d'autres voies. Je démissionne. Je retourne à une vie laïque, horizontale, où j'essaie de vivre mon présent, sans référence active à plus grand que moi. La porte n'ouvre pas. Tout doit être illusion. Je dois continuer de vivre, sans plus.

Mais je n'abandonnerai pas. Je resterai devant cette porte. Je demanderai. Je hurlerai peut-être. Je répéterai soixante-dix-sept fois sept fois, s'il le faut (*Mt* 18,21-22). Je ne demande pas avant tout la guérison du corps et l'abondance matérielle. Seules, cette guérison et cette abondance seraient comme des fleurs coupées, que j'apprécierais certes, mais qui faneraient bien vite. Je veux des racines solides, je veux la sève, je veux l'eau de la source.

Ce chemin laborieux est illusoire s'il n'ouvre pas mon cœur. Seul l'amour qui jaillit spontanément et naturellement du cœur, un amour qui soulage, accueille et guérit, justifiera ce travail et le vérifiera.

Viens Seigneur Jésus.


## *« Je »*

De façon toute imprévue, la conscience que j'ai des choses et de la vie a pris une forme qui s'est nommée elle-même : *je.* Le *je* est tout timide comme un mince filet d'eau. Je ne peux que répéter : *je, je, je.* Je sais que s'accomplit en moi un événement extraordinaire, sans fanfare, sans explosion, d'une façon discrète et certaine à la fois. *Je, je, je.* Comme un matin de Pâques où tout est différent et où rien ne paraît.

Les doutes se mobilisent et attaquent. Au début de la nuit et pendant la nuit, ils sont toujours plus coriaces. Même Ramsès sent leur présence et s'agite. Les doutes m'assaillent sournoisement et attaquent la réalité même du *je* : « Tu as tout inventé. Rien de nouveau ne se passe. »

« Veille et prie pour ne pas succomber à la tentation » semble me répéter Jésus (*Mt* 26,41). Je prie difficilement. Je suis embourbée et confuse. Tout apparaît irréel. Je répète : « je, je, Père, je, Père, je, je, Père... ».

Je ne comprends plus ce qui se passe. Mon trouble semble confirmer que tout est invention et illusion. Je lutte avec l'Adversaire. Je deviens plus calme en me rappelant que nous ne sommes jamais tentés au-delà de nos forces. J'accepte ne rien comprendre. Toujours saisie dans le remous, je fais confiance et m'accroche aux deux mots, je et Père, qui vont et viennent dans ma tête.

Ce matin, je me sens plus calme. La bataille n'est pas terminée. Mais le *je* nouveau est bien là. Il semble être ce que je suis au plus profond et, en même temps, n'être pas tout à fait moi. Il semble ma racine, le cœur de mon être, mon fondement, ma force et mon rocher et il apparaît si fragile qu'il mobilise en moi l'énergie de la lionne prête à le défendre et à le protéger.

L'adversaire veut écraser ce *je* naissant et rabattre cette expérience dans des catégories psychiques. Il m'oblige à affirmer ce *je*, à le chérir, à en prendre soin, comme la prunelle de mes yeux et l'enfant de ma chair.

En psychologie, je distingue très bien l'expérience d'être centré de l'expérience d'être décentré. La première a une fluidité, une assurance et une puissance qui n'ont rien à voir avec la rigidité, la faiblesse et la recherche de confirmation dans le regard des autres caractérisant la seconde expérience. Peu de personnes connaissent la différence entre ces deux expériences. Il faut avoir été centré, au moins une fois dans sa vie, pour savoir qu'on est la plupart du temps décentré.

L'expérience du *je* naissant est une expérience de centration et elle est tout autre à la fois. L'expérience de centration place sur la voie du milieu en soi, sur un point central, dans l'horizon des choses. L'expérience du « je » ouvre à la verticalité des choses, la voie du milieu plonge ses racines dans la terre et débouche sur le ciel. L'échelle de Jacob (*Gn* 28,12) s'anime.

*Je* suis née. *Je* demande à grandir.

## Une longue bataille

J'étais pleine de cette présence toute nouvelle et attentive à la préserver, comme un trésor que l'on enveloppe précieusement de ses mains. Je n'avais aucune idée de ce qui m'attendait. Ce matin, je suis calme et Ramsès, après quatre nuits d'agitation, a dormi paisiblement. Avant de reprendre l'écriture, il me fallait faire un bon ménage de la maison, brosser Ramsès et prendre une longue douche. Que s'est-il passé ces derniers jours ?

Dès que je commence les préparatifs du coucher, la maison s'emplit d'une sorte de fébrilité. Ramsès s'agite, ne trouve aucun coin pour dormir, bouge continuellement et respire bruyamment. Il me fixe et ses yeux sont dilatés. Il a peur. Il se calme et s'endort dès qu'il arrive chez Marie Hélène. Je reste seule chez moi, sentant une présence négative. Je ne peux que prier. La tentation est forte de douter de ce qui se passe et de ce qui est arrivé. Je continue de prier.

Chaque nouvelle nuit reprend le même scénario et, chaque fois, je dois aller mener chez Marie Hélène un Ramsès agité qui se calme dès son arrivée. J'éprouve, à la fois, une énergie surprenante et une fatigue croissante.

Dimanche. Ramsès écrase le pied de Marie Hélène et le blesse, assez sérieusement pour que nous changions nos plans et décidions de rester à la maison, chez elle. Elle lit au hasard un passage d'un livre d'Annick de Souzenelle, pendant que je dors. Quand, me réveillant, je décide de traverser chez moi, Ramsès refuse de me suivre.

Je vais chez moi, seule. Une violence subite et froide m'envahit. Je reste droite, essayant de me souvenir du *je* et de rester reliée à lui, pendant que la violence déferle: tout ce chemin pour que mon chien ne veuille plus vivre avec moi? Tout ce travail pour ça? J'ai le goût de détruire mon manuscrit, responsable de ce qui arrive. J'en veux à Ramsès. J'en veux à Marie Hélène que mon chien préfère. Toute vie semble quitter les choses. Mes plantes, mes chats, mon chien, Marie Hélène, mon manuscrit, tout pourrait être détruit. Je me sens devenir une barre d'acier. Je veux étouffer tout ce déferlement. J'essaie de me raisonner, de retrouver l'expérience du *je* et de prier. Je m'assois après quelques minutes, secouée, en larmes. L'Adversaire s'est levé en moi. J'essaie de prier.

Marie Hélène arrive à ce moment. Elle reconnaît peu à peu, dans ce que je lui raconte, l'histoire de

Caïn* qu'elle vient tout juste de relire. Cette histoire vient de se rejouer en moi. Jalouse, j'ai été tentée de tuer Abel. Je ne l'ai pas tué. (*Gn* 4,3-8) Je suis abasourdie, en état de choc et en action de grâce. Caïn n'est plus séparé de moi. Nous habitons le même espace et le même temps. Nous sommes de la même famille.

Je contemple l'acier que j'ai vu briller en moi. Il n'est peut-être pas sans raison que j'aie, à l'intérieur de mon fémur, un clou de métal (pour réparer la fracture). Je vois la puissance et la force de l'acier. Vouloir refouler cette force, vouloir la mettre dans une gaine pour la retenir et la contenir est un meurtre et l'origine de plusieurs meurtres. La cuisse brûle.

Mon *je* danse avec cette tige d'acier, enroulés l'un à l'autre comme deux spirales qui montent vers le ciel, nourris l'un de l'autre comme un seul feu. Pour la première fois, j'accueille l'Adversaire et le regarde avec affection.

Dimanche soir, la même fébrilité envahit la maison et mon chien. J'envoie Ramsès chez Marie Hélène et je prie. La bataille n'est pas terminée. Le lundi est plein d'embûches, du lever au coucher. Je constate des brûlures aux cinq doigts de ma main droite. Je ne sais où j'ai pu me brûler ainsi. Au coucher, je prie longuement.

---

* Caïn et Abel ont offert des offrandes à Yahvé. Yahvé agrée l'offrande d'Abel et refuse celle de Caïn. Jaloux, Caïn tue son frère Abel (*Gn* 4).

L'agitation de Ramsès se calme progressivement et il s'endort enfin profondément. Moi aussi.

Au réveil, je me souviens d'un rêve : « Je vois d'en bas une personne qui nourrit les oiseaux sur son balcon, en haut d'une maison. Je me retrouve sur le balcon et je lui dis : ah ! c'est toi que je voyais d'en bas nourrir les oiseaux. »

Le calme me gagne. Cette bataille est finie. Tout s'arrête et se dépose. La longue nuit de Jacob est terminée*.

Quelque chose de fondamental est changé. J'attends. Je ne veux pas que mes propres idées et mes attentes déforment la réalité qui se fait et se dit.

Je regarde les cloques sur mes doigts. Une main brûlée, pourquoi ? Quel est ce feu qui m'a brûlée ? Quelle est cette eau qui semble guérir si rapidement les cloques ? Depuis ce matin, les cloques se résorbent. Je les regarde fondre, étonnée et sans surprise. De nombreuses fois, j'ai vu Marie Hélène guérir d'une blessure, d'une façon incompréhensible. Mes doigts brûlés, guérissent rapidement. Je souris à l'idée que la tige de métal, qui a soutenu mon fémur, pourrait fondre et disparaître. « Tout est possible, mais tout n'est pas utile », disait saint Paul.

---

* Jacob, revenant dans son pays d'origine sur l'ordre de Yahvé, rencontre quelqu'un — un ange, nous dit la tradition — avec qui il lutte jusqu'à l'aurore. Après cette bataille, témoignant de sa profonde transformation, il reçoit le nom d'Israël (*Gn* 32,25-29).

Je cherche parfois à anticiper la volonté de Dieu mais rien n'arrive comme je le prévois. Il doit bien sourire de me voir essayer de deviner. Moi, je souris de me voir aller.

### Le monstre

La nuit de Jacob n'était pas terminée. Après un répit d'un jour, la bataille reprend. Ramsès, encore lui, s'agite dès que je commence les préparatifs du coucher. La nuit sera difficile et longue. Les halètements de Ramsès remplissent l'espace et ses grands yeux dilatés veulent me dire quelque chose. Déjà, je suis irritée et j'esquisse intérieurement un geste de mes mains pour l'étouffer.

J'essaie de comprendre. Vers minuit, je vais à l'extérieur de la maison : Ramsès est content mais ne manifeste aucun besoin urgent d'uriner ou de déféquer, ce qui m'irrite encore plus. De retour à la maison, l'agitation et les halètements reprennent. J'ouvre la fenêtre : peut-être a-t-il besoin d'air ? Rien à faire. Mon impatience croît de minute en minute. J'essaie de comprendre. J'essaie de me raisonner. J'essaie de le calmer. Je lui parle doucement. Je lui commande de se taire et de se coucher. Il se couche cinq secondes, se relève et continue de me regarder avec de grands yeux apeurés. Ses halètements se répercutent sur les murs. Il m'agace au plus haut point. J'ai le goût de le battre et je le gifle violemment : il doit arrêter de m'énerver.

Ramsès éveille un volcan qui jaillit avec une puissante violence. Je redeviens acier, comme dimanche, mais, cette fois, la barre est en feu et je la brandis vers Ramsès. Je suis horrifiée de ma violence. Elle dépasse de beaucoup, en intensité et en profondeur, toutes les expériences de violence que j'ai ressentie dans ma vie. Je dois aller au bout de cette rencontre. Seule une parcelle de ma conscience n'est pas possédée par ce monstre qui m'habite. Ce fragment de conscience m'empêche de tuer Ramsès et me fait répéter sans cesse : « Seigneur, aie pitié, Seigneur, aie pitié. » Sauf ce reste, je suis ce monstre.

La bataille dure toute la nuit. Je me sens de la même race et du même sang que Caïn (*Gn* 4,8), que Moïse qui tue l'Égyptien (*Ex* 2,12), que le parent qui, poussé à la limite de lui-même, tue son enfant. Toute la nuit, ma bouche s'ouvre, se dilate, comme si le monstre voulait sortir, et ma langue bouge librement dans toutes les directions.

Le monstre m'incite à tuer. Je me sens acculée au mur. Je comprends d'où vient la violence avec laquelle mes frères humains tuent, quelles que soient les raisons politiques, socio-économiques et psychologiques qui, en surface, les motivent. Je suis submergée par la fureur de l'expérience et terrorisée par sa puissance.

* * *

L'aube amène peu à peu le calme. Le monstre retourne à sa tanière. Je contemple.

Mes gestes d'amour et mes élans de compassion sont bien petits et tièdes comparés à la fureur que j'ai ressentie. L'amour dans ma vie semble appris et le fruit d'un effort, comme une chose ajoutée, fade et tellement terne comparée à la puissance que j'ai ressentie cette nuit. Je porte mon regard vers l'amour si petit et vers la puissance de cette violence jaillie du fond de moi.

Je me surprends à aimer cette puissance, à la désirer. Des personnes tuent, peut-être, pour retrouver cette puissance enfouie dans leur profondeur. Moi, je voudrais aimer avec cette puissance. Je voudrais que l'amour jaillisse de moi comme la violence. Peut-être l'amour et la violence sont-ils dans le ventre du même monstre ? Peut-être sont-ils les deux tranchants de la même épée, l'épée qui tue et l'épée qui vivifie ?

## La puissance

Un calme étrange suit ma bataille avec le monstre. Ce matin, je lis, au hasard, le passage de la Bible où sont racontées la naissance et la consécration de Samuel, appelé ainsi par sa mère Anne, « car dit-elle, je l'ai demandé à Dieu » (1 S 1,20). Je désire, de tout mon cœur, consacrer à Dieu, tous les jours de ma vie, ce *je* qui naît en moi et que je Lui ai tant demandé.

Je suis habitée par la puissance ressentie dans ma

bataille avec le monstre. Comment cette puissance de tuer devient-elle puissance d'aimer ?

Les définitions et les modèles de l'amour que je connais, semblent des formes vides, flasques, sans colonne vertébrale.

Je me libère, peu à peu, d'une croyance qui oppose amour et puissance. L'amour doux et la puissance qui tue. Peu à peu, car j'ai encore de la difficulté à me visualiser à la fois droite, puissante et aimante. Si je me visualise « aimante », je rapetisse, me contiens, fais attention et me courbe. Si je me vois « puissante », je deviens dure.

J'associe la puissance à tous ces démons humains qui tuent, violent, abusent, contrôlent, pour dominer du haut de leur ego. J'associe la puissance à ce démon qui peut sournoisement prendre possession de mon âme alors que j'essaie de faire de mon mieux et que je commence, en secret, à penser que je suis meilleure que les autres.

J'ai peur de la puissance. Je l'ai, jusqu'ici, contenue ou fuie. Aujourd'hui, je la désire, priant pour ne jamais oublier que « toute puissance vient de Dieu ». Je prie pour que mon désir d'aimer et la puissance cessent de s'opposer, s'unissent et se marient en moi. Jacob veut rencontrer Esaü.

Dans un rêve, je franchis une porte et me retrouve dans un grand portique, face à une autre porte.

## L'instant

Je m'arrête et prends le temps de respirer. L'impatience et le vide désespérant ne m'ont pas aspirée dans leur course folle et leur béance comme ils l'ont fait souvent, depuis le début de ce travail, après chaque combat intense. Une force se construit peu à peu en moi. Je reste calme et revient à l'instant dès que je me surprends à anticiper le futur ou à imaginer les fruits de mon travail. Je me tape gentiment sur l'épaule et avec un sourire affectueux et complice, je me ramène au temps présent, toutes les fois que je glisse ou me faufile vers le futur.

Enracinée au présent, je me sens mieux et tout redevient simple. Je respire et je suis respirée.

\* \* \*

Je parle très peu du travail intérieur qui se fait et qui s'écrit, sauf à Marie Hélène. Quelques personnes savent que je fais un travail d'écriture, sans en connaître le contenu et le déploiement. Hier, je suis sortie de ma caverne et de mon désert avec l'intention de parler.

Quelle « mal-aisance » pourrais-je dire. Je me suis sentie comme un danseur qui fait ses premiers pas de danse en public. La même raideur intérieure, la même gaucherie, des pas qui ne suivent pas la musique, une mélodie qui n'arrive pas à trouver sa ligne, des notes éparpillées. Je danse à côté de mes bottines. Je suis hors de mon axe. Mon regard se détourne de moi, pour guetter, à l'extérieur, la compréhension et la réception. Je perds le sens de ce que je veux dire et de ce que je ne veux pas dire. Je laisse l'autre pénétrer plus avant dans mon monde, espérant ainsi me faire comprendre.

Je n'arrive pas à me dire sans me perdre. Je suis incapable d'insuffler la vigueur, la force, l'aisance et la vie à mes pas de danse et à mon verbe. Je souris de ma faiblesse.

* * *

Le travail intérieur s'est accentué et accéléré lors de la fracture de mon fémur droit, il y a un an, alors que j'ai consciemment accepté l'invitation qui m'était faite.

J'ai revu cette semaine, pour la première fois, le médecin qui m'avait alors opérée. L'os est guéri et plus solide qu'avant, me dit le médecin. Le clou qui retenait l'os est sorti d'un bon trois centimètres. Il devra être enlevé : le conserver pourrait occasionner de nouvelles blessures. L'os n'a plus besoin de ce support. Aucune trace de l'ostéomyélite, ayant causé l'abcès à la cuisse dans les années précédant la fracture, ne subsiste.

Les paroles du médecin confirment le travail intérieur. Mon os, mon essence*, ce que je suis au plus

* Os et essence sont le même mot en hébreu : etsem. Voir Souzenelle 1, p. 224 à 226.

profond de moi, se solidifie et n'a plus besoin de support extérieur. Il faudra enlever le clou.

* * *

Sur le chemin, je rencontre l'Adversaire qui m'oblige à des batailles et à des épreuves difficiles. Je vis aussi des moments, combien doux, où la Lumière perce, réchauffe et réconforte.

Parfois, le vide, l'ennui et l'absence m'envahissent. Ce temps désertique, nécessaire à la germination, peut devenir un dévoreur d'énergie, d'espérance et de foi. Il est autant dangereux qu'insaisissable. Le vide ne se voit pas. Je ne peux me battre contre le rien. Il me dévore de l'intérieur. Qui est là qui me vide ? Qui n'est pas là qui me vide ?

Ce dévoreur coupe tous les fils, me reliant à plus grand que moi, et me précipite au cœur de l'absurde. Je n'entends et ne vois plus rien. Je semble devenir une cellule flottante dans l'espace. Mais au cœur de l'hiver, au cœur de ce temps où toute vie semble disparue, la graine commence à germer en terre et la sève prépare le printemps de l'arbre.

* * *

Je me tiens prête. Je fais mon ménage. Je classe mes papiers. Je jette les vêtements usés dont je ne veux plus. Je commence à transcrire mon manuscrit sur ordinateur. Je refais le chemin et ramasse mes connaissances et mes énergies.

Je marche avec des prothèses depuis trente-cinq ans. Je m'étais habituée à leur forme et exigeais d'elles, en tout premier lieu, le confort. Voilà que leur laideur et leur poids m'agacent! Je veux retrouver l'intégrité de mon corps.

J'ai le goût de m'habiller autrement. Cette nuit, j'ai rêvé que je m'achetais des vêtements neufs pour aller à un mariage. Je ne trouvais pas le style de vêtement qui me convenait.

La vieille peau de mes doigts brûlés commence à tomber, révélant une peau rose et tendre. Je dois laisser aller ce qui reste de mes vieux personnages. Je dois laisser aller les connaissances acquises. Le germe, qui grandit en moi, est ma force et mon soutien.

Je me tiens prête, comme le demande la Voix. Prête, dépouillée et comblée de grâces.

### Enfin, une communauté de foi...

Je croyais avoir trouvé une communauté de foi, un lieu pour célébrer, un groupe d'appartenance. Un rêve nous a menées, Marie Hélène et moi, dans une petite communauté orthodoxe francophone. Nous aimons ses prières, ses chants, les icônes, les cierges et l'encens qui, lourds de la Vie qu'ils respirent, vibrent d'une même harmonie. Nous y sommes bien accueillies. J'aime ce rêve qui nous conduit sur un chemin semblable à celui d'Annick de Souzenelle et qui me mène enfin vers une communauté.

Je ne savais comment interpréter les obstacles qui se multipliaient à chacune de nos visites à la petite communauté orthodoxe. Je comprends, les larmes aux yeux, que mon chemin ne s'arrête pas là. Je cherche depuis si longtemps à appartenir à une famille, à un groupe, à une communauté. J'ai fait beaucoup de compromis pour y arriver. Il me faut prendre conscience que mon chemin, comme tout chemin, est personnel. Les écrits d'Annick de Souzenelle continuent de me guider. Mon chemin n'est pas le sien.

Il m'est demandé, non pas de me convertir à l'orthodoxie, mais de me retourner totalement vers la Voix. Il m'est demandé de ne chercher aucun repos et aucune sécurisation à l'extérieur de moi. Je dois me dépouiller de ce vêtement de l'orthodoxie, pour continuer mon chemin.

Le ventre serré, je suis habitée par cette image d'une route qui sillonne la terre et où je marche, seule avec Marie Hélène. Où mène-t-elle ?

## La bulle

Je suis de plus en plus à l'étroit dans mon espace. J'ai l'impression d'habiter une bulle et de manquer d'air. Je voudrais sortir ma tête, mes bras et tout mon corps de cette bulle, et respirer. Je veux me déplier, prendre ma stature de femme libre et retrouver ma parole.

Je suis de plus en plus triste de notre condition humaine, de la petitesse de nos vies, des prisons que nous nous bâtissons, des esclavages que nous nous créons avec l'illusion d'être libre. De grandes souffrances et de grands chambardements seront nécessaires pour secouer les murs, de plus en plus épais, de nos prisons. Nos prisons, qui nous étouffent, sont aussi nos sécurités : comme il est difficile de les quitter, comme il m'est difficile de les abandonner.

Je manque d'air et je veux respirer.

Je juge de moins en moins la petitesse de nos gestes quotidiens et leur violence. Ils expriment notre inconscience et nos illusions. Nous sommes esclaves de nos désirs, de notre économie, de nos technologies, de nos philosophies, de nos religions. Nous croyons être libres. Je manque d'air et je veux respirer.

Je hais de plus en plus l'illusion de puissance que chacun et les grands de ce monde entretiennent. Nous allons mordre la poussière, à défaut de nous retourner humblement vers elle. Je manque d'air et je veux respirer.

J'attends, j'espère ce grand ébranlement de mes murs, cette déchirure du voile qui me cache la lumière. Je suis atterrée de ce qui m'attend et je m'en réjouis.

Il est temps que j'arrête de tuer et que je cesse de participer à toutes les tueries du monde. Il est temps que cette énergie qui me dévore, jaillisse au grand jour, pour brûler ce qui me sépare des êtres humains et de mon Dieu.

J'étouffe dans mon petit monde. Mes conceptions mêmes de Dieu, du Christ, de la vie, de la mort, du mal, du bien et de la souffrance m'étouffent. Je rapetisse tout à ma grandeur. J'étouffe.

J'essaie de contenir la mer dans une bouteille d'eau. Même quand la bouteille est de cristal et qu'elle donne l'illusion de l'espace et de la lumière, elle n'en demeure pas moins une bouteille. J'étouffe.

J'étouffe. Je veux de l'air. Je veux respirer. Je veux être libre.

C'est la grâce que je demande à ce Dieu qui m'a créée. Je peux désirer, je peux dire oui, je peux prier, mais je ne peux briser moi-même cette bulle qui m'étouffe.

«Arrête de t'agiter, Micheline! Recueille-toi en silence! Laisse-moi faire!», chuchote la Voix. C'est l'une des choses les plus difficiles à m'avoir été demandée.

QUATRIÈME ÉTAPE
# À LA RENCONTRE
# DE LA DÉSOLATION

«RETOURNE VERS LE PAYS d'où tu viens. Je serai avec toi» me dit la Voix. C'est ainsi que je ressens les événements des derniers jours. Depuis près d'un an, je me suis retirée dans mon désert. J'ai visité de nouvelles terres et acquis de nouvelles connaissances. Forte de cet avoir, je dois retourner vers mon frère Esaü et, comme Jacob, j'ai peur (*Gn* 32,8).

J'ai peur de perdre ce que j'ai acquis si douloureusement. J'ai peur d'être dévorée par Esaü qui, en moi, prend déjà différentes formes et différents visages.

Il est la détresse psychologique enfermée sur elle-même, celle que j'ai écoutée si longtemps, impuissante et avec la meilleure volonté du monde. Il est la détresse psychologique qui m'a épuisée, vidée de moi-même. Il est un besoin et un cri. Il est l'impuissance. Il est une bouche sans mot. Il est une oreille sans mot. Je me débats avec Esaü. Je l'évite. J'essaie de le convaincre de changer. J'ai parfois voulu qu'il meure.

Je l'ai toujours approché avec la meilleure conscience possible et avec mes bons sentiments. Je ne lui voulais pas de mal. J'aurais tant aimé qu'il soit heureux. Parce qu'il n'arrivait pas à goûter au bonheur, j'ai souhaité qu'il meure «pour son bien». La bonne conscience, je le vois maintenant, tue: «Guéris ou meurs», semble-t-elle dire.

J'ai rencontré plusieurs Esaü dans ma vie, ces personnes qui, quoi qu'on fasse et quoi qu'on dise, collent à leurs misères et restent prisonnières de leur sombre caverne. Elles semblent imperméables au bonheur et à la lumière. Elles sont un cri qu'aucun mot, qu'aucun geste, qu'aucun sourire, ne vient apaiser. Elles sont une plaie vive qu'aucune huile ne vient soulager.

J'ai cru être différente de ces personnes. Elles, moi. Je pouvais les accueillir, les écouter, compatir, prier pour elles. Mais, moi, j'étais différente. Malgré mes difficultés et mes détresses, je basculais du côté de la vie et de l'espérance, moi. Elles, moi.

Un autre mur s'écroule. Esaü est en moi. Il est à la fois une bouche ouverte, un désir jamais assouvi et des bras impuissants. Il pleure, sans aucun son. Il ne sait comment consoler, impuissant à demander et à prendre, impuissant à donner.

Les acquisitions et les réussites peuvent donner l'illusion de la puissance et entretenir l'oubli. Elles ne peuvent répondre au désir qui me fonde. Le désir, comme un trou béant, appelle en silence.

J'ai cru que cette détresse cachait une vieille habitude où se lovaient, paradoxalement, la sécurité et le réconfort du connu, la désespérance et le refus de passer à l'action. Dans ce retour vers le pays d'où je viens, je rencontre, en moi, l'affamé, l'insatiable et l'impuissant, ces « riens » que j'ai oubliés à défaut de pouvoir les faire mourir. Peut-être pourrais-je, cette fois-ci, les regarder bien en face, ces démunis, ces estropiés de la vie, ces êtres qui sortent des profondeurs de mon être.

Il m'est plus facile de rencontrer la violence que ces êtres déformés par le besoin et l'impuissance, réduits à des yeux et à une bouche qui implorent, à des bras qui gesticulent sans saisir. La violence, ignorée, tue. Le désir, non reconnu, tue lui aussi. Il saisit à la gorge et étouffe. Les mots ne peuvent plus chanter, la sève ne peut plus circuler et l'arbre ne peut plus grandir.

Le désir et la violence sont de proches parents. Ignorés, ils tuent, avec fracas ou en grignotant.

Aucun avoir ne peut combler ce désir. Aucun bon sentiment, aucun geste suscité par la bonne conscience ou par la culpabilité, ne peut rassasier une parcelle de ce désir ou l'ombre de ce désir.

Les personnes, se promenant dans la vie avec des plaies vives inguérissables, avec un besoin désespérant et désespéré indéfinissable, avec une incapacité apparente de réussir leur vie, objectivent un espace archaïque que j'essaie d'oublier par mes gestes, mes actions et mes réussites. Dans cet espace archaïque, avec tout mon corps et dans chacune de mes cellules, je ne suis qu'attente, désir et cri, comme tous les êtres humains. Dans cet espace primitif, qui est nudité, pauvreté et néant, je ne sais rien donner. Tout, tout, tout, ne peut venir que du Tout-Autre. Il m'est dit que là est la Lumière.

J'ai l'impression de bercer deux enfants oubliés: l'affamé blessé et l'impuissant. Ils ont été meurtris par ma vie. Mais leurs blessures viennent d'un au-delà de mon histoire personnelle. Ils ont mémoire de quelque chose que j'ai oublié. Leur douleur dépasse mon entendement.

\* \* \*

Je suis habitée par mon rêve de ce matin: Je suis sur une terre, un immense domaine de l'ouest où je viens d'arriver. Cette terre est séparée de la ville par une clôture. Il neige sur la ville mais de ce côté-ci, le peu de neige qui tombe parfois, fond aussitôt. La terre a les meilleures conditions pour être féconde. De nombreuses personnes travaillent sur cette terre et de nombreux animaux y habitent. J'en ai un sur la tête que j'essaie d'enlever sous le regard amusé d'un travailleur. Je pense que c'est un gros oiseau mais il se révèle, sur le sol devant moi, être un animal ressemblant à une vache.

Je visite la terre. Les animaux jouent. Un singe dispute à un autre animal le droit de s'occuper d'un ourson. Une grande caverne, soutenue par des troncs d'arbre, abrite la nourriture — de la paille — pour les animaux. Je me demande si la caverne n'abrite pas aussi des animaux.

J'accompagne le propriétaire de la terre, un vieil homme paternel, qui visite, soigne et nourrit tous les animaux. Alors qu'il s'apprête à piquer un animal avec une grande aiguille, un jeune homme, lui aussi nouveau sur cette terre, faiblit à la vue de l'aiguille. Le vieil homme s'en approche, lui enlève un chapeau bizarre qu'il a sur la tête — sorte de couronne faite de tissus très colorés — et le couvre d'un manteau pour le réchauffer. Je prends la main du jeune homme et nous continuons notre visite.

Je suis émue de ce rêve tout pétri de vie, de tendresse et de symboles.

Cette rencontre des « riens », sans vouloir les tuer, sans me laisser aspirer par eux et sans me confondre avec eux, ouvre un nouvel espace. Il est un étrange mélange de pauvreté et de joie. Je me sens plus que jamais « un vase parmi d'autres vases dans la main du potier » (*Is* 45,9). La louange et la reconnaissance me dilatent le cœur.

## J'ai tué un homme

Un grand fleuve de souffrances sort du ventre des humains. Les victimes s'affichent et crient : « J'ai été blessée, j'ai été abusée, regardez et voyez. » Elles sortent de tous les coins de la terre et de tous les temps de l'histoire. Elles accusent : « Vous m'avez blessée, vous avez abusé de moi, vous m'avez tuée. » Elles exigent réparation, des excuses et de l'argent. Elles marchent courbées, à quatre pattes, les poings serrés ou la larme à l'œil. Leurs plaies sont leurs victoires, leurs auréoles et leurs armes.

Un grand fleuve de souffrances sort du ventre des humains. Les accusés sont montrés du doigt et traduits en justice. Les médias et les bonnes gens les exposent sur la place publique. Ils devraient courber la tête. Honte soit sur eux !

Un grand fleuve de souffrances sort du ventre des humains. On se hâte de montrer ses plaies pour ne pas être sur le banc des accusés.

Ainsi va le fleuve grossissant à vue d'œil, s'enflant et se nourrissant du sang et de la culpabilité des victimes, des accusés et des dénonciateurs.

Je suis victime, je suis accusée et je me nourris des spectacles. Dans tous les cas, je marche à quatre pattes, enfermée dans la petitesse des drames auxquels je réduis ma vie et la vie de mes frères.

Je voudrais pouvoir enlever ces structures et ces divisions qui me blessent et m'estropient. Je ne veux plus me réduire à « ce n'est pas de ma faute, c'est lui qui a commencé, c'est lui le coupable » et remonter dans le temps à mes parents, aux étrangers, aux ennemis, jusqu'à blâmer l'histoire, ceux qui l'ont faite et Adam !

Oui, les humains souffrent. Pour échapper à la culpabilité qui ronge le meilleur de nous, je préférerais dire: «ce n'est pas moi, ce sont eux les odieux et les méchants de ce monde», contribuant ainsi, dans mon inconscience, à alimenter le fleuve de sang qui inonde la terre.

Les humains souffrent. Comme je voudrais pouvoir arrêter de nourrir ce fleuve, me lever droite, au milieu des eaux sanguines, et dire: «C'est assez!»

Je commence à peine à concevoir que «j'ai tué un homme» même si je n'ai jamais pris un fusil dans mes mains et presser la gâchette, même si je n'ai jamais consciemment blessé quelqu'un. Chaque fois que je réduis un être ou me réduis à la matérialité des choses, je tue. Chaque fois que je sépare ce qui est intimement relié, je tue. Chaque fois que je me réduis à une bonne conscience, je tue. Chaque fois que je recherche une renommée extérieure, je tue. Chaque fois que je m'empêche d'être par peur ou par culpabilité, je tue. Chaque fois que j'essaie de dompter la vie ou de la contrôler, je tue.

Être moins que soi, c'est tuer la vie. Voir en l'autre moins que ce qu'il est, c'est tuer la vie. Se comporter en victime, c'est tuer la vie. Refuser de grandir et de se tenir droit, c'est tuer la vie. Choisir d'avoir raison, choisir l'inconscience, choisir de dénigrer, c'est tuer la vie.

Tuer, non pas symboliquement, mais réellement. Car je vois de plus en plus les liens entre tous ces gestes, ces regards et ces paroles et entre le geste du tueur qui presse la gâchette, le geste du suicidaire et la main violente de la maladie. Mon geste, mon regard et ma parole déclenchent une réaction en chaîne qui se terminera par le meurtre.

La vie est puissante. Vouloir la réduire, c'est se condamner à tuer. On peut essayer de conquérir l'espace : on ne peut dompter la mer ni empêcher les soubresauts de la terre.

Je désire, de tout mon cœur, cesser les accusations. Je désire pouvoir, avec la grâce de Dieu, me joindre, droite, à la voix de Lamek et dire : « Écoutez, entendez, j'ai tué un homme. » (*Gn* 4,23) Cette voix résonne en moi, non comme une parole accusatrice et culpabilisante, mais comme un verbe porteur d'un souffle de vie, d'espérance et de libération. Il me permet enfin de me tenir debout et d'assumer ma responsabilité.

## La libération de Dieu

Dans ce travail, dans cette œuvre qui se crée et me crée, j'emploie avec hésitation les mots qui décrivent habituellement l'univers spirituel et Dieu.

On réduit Dieu à des catégories morales et culpabilisantes. On essaie de le séduire par des pratiques insipides, ennuyantes, mortellement vides. On en fait un père lointain, sorte de magicien, qui pourrait réparer ou nous éviter des bévues. On en a fait un père vengeur, avide du sang de nos souffrances. On en fait l'ennemi du corps humain. On en fait le comptable de nos bonnes et de nos mauvaises actions. Même le Dieu bienveillant, dont parle les nouvelles catéchèses, reste sourd et lointain.

De toutes les façons, on a enfermé Dieu dans son ciel, loin de nous, en-dehors de notre histoire. On le retient prisonnier de nos catégories mentales. On fait Dieu à notre image. Nous le réduisons à notre petitesse, à nos colères et à nos besoins. J'ai haï ces images de Dieu. Je me suis révoltée. J'ai fui loin de ce Dieu qui me levait le cœur. Aujourd'hui encore, je n'arrive pas à revenir vers Dieu sans lutter contre ces images qui m'obscurcissent le cœur et le cerveau.

Toutes ces vieilles images de Dieu retiennent Dieu prisonnier. Mon chemin est l'histoire de la libération de Dieu en moi. Je ne serai jamais une femme libre tant que Dieu, en moi, ne sera pas libre.

La libération de l'homme passe par la libération de Dieu. Il parle en moi, avec tant de force, que je ne peux douter de sa révélation. C'est le très beau mystère de l'Incarnation. C'est le très beau mystère de l'Histoire de Dieu et de l'homme qui se joue dans une seule et unique danse.

Je n'ai jamais aimé autant la vie et les êtres humains. Pourtant, je sais n'être qu'à l'aube de ma libération, de notre libération.

Assise à l'intérieur de moi, centrée, je goûte les lueurs de l'aube qui pointe. Mais le matin ne vient pas. Les ténèbres se lèvent à l'horizon. Je coule dans un espace sombre. Un événement anodin déclenche ce rapide changement de l'aube à la noirceur.

Je vois surgir de moi un être avec lequel je vis maintenant depuis plusieurs jours. Il a quelque parenté avec ces enfants affamés, blessés et impuissants que j'ai rencontrés il y a quelques semaines, tout en étant différent d'eux. J'ai l'impression de rencontrer, non pas des enfants, mais un adulte formé.

Quelques minutes après son arrivée, je suis envahie par un sentiment profond de nullité et d'impuissance. Je deviens de grands yeux avides de réassurances et des oreilles aux aguets, anticipant les critiques. Je regarde, gênée et honteuse, cet être qui surgit de moi. Il est un indésirable que je voudrais cacher, taire et oublier. Mais la Voix, lointaine et en sourdine, m'invite à rester et à regarder. Stupéfaite, j'observe. J'ai beaucoup de difficultés à ne pas tomber totalement sous son emprise et à ne pas me confondre avec lui.

Le sentiment de nullité et les tentatives répétées, vaines ou réussies, parfois héroïques, pour le cacher et le camoufler, sont la toile de fond et les couleurs de cet être. Le regardant vivre en moi, je l'appellerai affectueusement le vaut-rien ou le vaurien.

Le vaurien est toujours sur la défensive, prêt à attaquer ou à se défendre. Il invente des scénarios de rejet. Il se couche, la peur au ventre, en imaginant les pires malheurs. Il se sent séparé et isolé. Il sépare ce qu'il regarde. Il ne voit chez les autres et n'anticipe d'eux que le pire. Il doute de lui-même et des autres. Il entasse, entasse, entasse les réussites, les accomplissements et les applaudissements. Malgré cela, il reste un être qui doute de lui, quoi qu'il en dise. Il est prêt à tout s'il appréhende d'être démasqué ou pointé du doigt. Je suis bouleversée de sa réaction et de ce qu'il peut produire dans ma vie. Sous son emprise, je crée mes propres enfers.

Je le regarde vivre ne sachant trop que faire de lui. La douleur martèle mon corps. Je me sens lasse, lourde, pesante et imbibée de tristesse. Je me traîne à travers les jours, désœuvrée et désolée.

Je rencontre un « mal d'être », au-delà des blessures psychologiques qui ont atteint, dans ma vie, l'image et l'estime de moi. Toutes les thérapies du monde et toutes les réussites au monde ne peuvent guérir ce profond mal d'être. L'image de Jésus debout, silencieux, immobile, dépouillé et sans puissance, devant Pilate et devant les hommes (*Mt* 26,11-14), s'impose à mon attention. Elle m'aide à regarder en face ce vaut-rien qui m'habite.

Je suis un arbre déraciné qu'un moindre coup de vent menace. Je suis une terre desséchée, sans eau. Je suis une tourmente que rien n'apaise. Si j'ignore ce vaut-rien, j'ai l'impression d'être quelqu'un. Un quelqu'un qui a oublié sa petitesse, inconscient, mais sûr de lui.

Je cesse de fuir. Je me sens vide, tellement vide, « instable et vacillante » (*Gn* 4,14) . Quand je refuse d'accueillir et de nourrir cet orphelin, j'erre, séparée de ma source, prête à tuer comme Caïn ou à me laisser tuer comme Abel (*Gn* 4,8). Lorsque je refuse d'accueillir et d'écouter cet orphelin, je le condamne à n'être qu'un vaut-rien qui prend alors, parfois, les habits du vaurien.

Au cœur de cette rencontre avec l'orphelin, je ressens, bizarrement, le retour de la Présence. Et je retrouve timidement le goût de danser, de chanter et de rire.

## La désolation

Le vaut-rien est revenu. Il s'est présenté devant moi, sous des traits grotesques, hideux, caricaturaux. J'aurais voulu ne pas le voir. J'aurais voulu qu'il soit poli, discret et silencieux. J'aurais voulu qu'il se cache et qu'il disparaisse. Dans quelles terres intérieures cet être m'amène-t-il ? Qu'est-ce que je ne veux pas regarder en moi quand je ne veux pas le voir, lui et ses nombreux semblables ? Je suis irritée. Mon cœur est fermé et sombre. Qu'est-ce qui se passe ?

J'ai de plus en plus mal à la tête. J'ai le goût de vomir. Mon corps frémit. Des cascades soulèvent mon ventre. Je ne sais ce qui arrive. Je m'adresse à mon

Dieu: « Qu'est-ce que Tu veux que je voie ? » La réponse vient dans un seul mot : la désolation.

Suivent de longues heures pénibles : je pleure, je crie, je vomis, un étau me serre la tête, la surface de la peau devient douloureuse et ne tolère aucun toucher. Le mot désolation se répète et se réverbère dans tout mon corps jusqu'à atteindre chaque cellule.

Quelle tornade m'a frappée ? Je suis une terre dévastée. Je vois et ressens ma profonde désolation et notre profonde désolation. L'image est tellement forte qu'il me faudra deux jours pour être capable de la mettre en mots, deux jours où je ne dirai que les mots désolation, dévastation et ravage.

Nous connaissons les ravages : les maladies, les guerres, les tueurs, la pollution, la folie... Je n'avais jamais vu l'état de désolation qui sous-tend, fonde et alimente les ravages.

Rien ne résiste à ce vent de désolation qui me secoue. Je me sens un grain de sable sur une planète en souffrance. La planète me semble recouverte d'êtres humains profondément blessés, souffrants, errants, perdus, qui essaient, chacun à sa façon, de montrer qu'ils sont debout et qu'ils savent où.

Certains s'habillent de beaux habits, de gestes gracieux et de belles paroles. Certains sont plus difformes : il leur est plus difficile de cacher les ravages. D'autres réussissent si bien qu'ils semblent à l'abri de la dévastation. Notre profonde désolation nous unit tous, qu'on s'en rappelle ou non, qu'on le sache ou non.

Nous sommes des égarés, marchant de ci de là, errant d'un remède à un gourou, d'une solution magique à une croyance, d'un bien à acquérir à un nouveau royaume à conquérir, d'une aventure à une autre, cherchant, à l'extérieur de nous, ce qui nous soulagera de notre mal d'être, de notre ennui, notre profonde désolation.

Nous construisons, à l'extérieur de nous, des palais, des rois, des renommées, des carrières, des villes, des civilisations. Nous recherchons, à l'extérieur de nous, la jouissance et un sentiment de puissance, en multipliant les expériences et les possessions. Nous croyons, depuis très longtemps, que si le monde va mal, c'est à cause des autres. Nous avons oublié, depuis si longtemps, que le Royaume se trouve au bout d'un long travail sur soi. Nous croyons être puissants et voulons chacun paraître un petit dieu dans sa cour et dans son cœur. Nous créons et entretenons notre dévastation.

Nous restons à l'extérieur de nous, critiquant, demandant, revendiquant, faisant des plans, pendant que nous agonisons, intérieurement, faute de naître et de grandir. Nous sommes des égarés, de tristes égarés, des exilés à l'extérieur de nous. Notre errance me concerne. Je suis triste des ravages qu'elle cause.

Je ne veux accuser personne. Je ne désire pas augmenter le sentiment de culpabilité. La culpabilité ravage déjà suffisamment. Nous ne sommes ni méchants, ni écœurants. Nous sommes des égarés. Parce que nous continuons de courir après la lune et le soleil à l'extérieur de nous, nous créons la désolation et nous nous en nourrissons.

« Connais-toi toi-même et tu connaîtras l'univers et les dieux », dit Socrate. Je découvre que ce qui se présente devant moi est un reflet et une objectivation d'un espace intérieur, à nommer et féconder. La vie, les événements de ma vie m'enseignent, brisent mes certitudes et me font découvrir de nouveaux aspects de moi. Peu à peu, je m'approche du Royaume.

Je suis reconnaissante et rends grâce à Dieu de me guider sur ce chemin. Dieu n'est pas « moumoune ». Son chemin est exigeant, parsemé de morts et¬résurrections, doux, lumineux et tendre. Dieu ne se contente pas de nous, Il veut le meilleur de nous. Il veut que nous accomplissions le potentiel, et tout le potentiel, semé en nous.

Au cœur de cette profonde désolation, je ressens, plus que jamais, le désir de savoir aimer.

## Anéantie

Je suis presque prête à tout oublier, à faire mon possible, sans plus, en attendant de mourir.

Ma conscience de la désolation et mon sentiment d'impuissance grandissent côte à côte et m'anéantissent. Je ne veux plus voir la souffrance, la séparation, la violence, l'absurdité, les ravages et l'inconscience. Je ne veux plus me sentir démunie, sans moyen, devant même les petites souffrances et les violences qui poussent à ma porte.

Où est Dieu ? Je suis tellement triste. Je ne veux pas démissionner. Démissionner est une autre façon de tuer. Mais où est Dieu ? Je ne cesse de L'appeler, de me tourner vers Lui, de Le chercher, de cogner à Sa porte. « Prend pitié, prends pitié, prends pitié ». Je suis un sac de larmes. Le silence s'installe. Même mes prières me fuient. J'attends.

### Mes mains

Que s'est-il passé ? S'est-il passé quelque chose ? Une nuit bizarre qu'ouvre, avec un grand coup de cisaille, un sentiment profond de séparation entre Marie Hélène et moi. Elle est propulsée dans un espace de clarté et de puissance qui lui fait peur et qu'elle veut refuser. Je suis précipitée dans « l'inconnaissance » et dans un espace où je ne peux que pleurer mon inconscience.

Je ne vois pas. Je n'entends pas. Je ne sens pas. L'univers est petit et restreint. Si petit et si restreint. Mes mains, privées du sens du toucher depuis ma naissance, se lèvent devant mes yeux et, pour la première fois, j'entends le secret qu'elles portent. Elles disent mon « inconnaissance ». Elles m'invitent à me souvenir. Elles cognent à ma porte pour que je me retourne vers ce grand espace intérieur. Elles sont un guide, placé sur mon chemin. Elles sont un appel et un rappel. Elles sont bénies de Dieu. J'ai devant moi la mesure de mon inconscience.

Cette nuit, quelque chose s'est passé. Un grand vent a passé et nous a saisies. Mes mains sont devenues une Parole que j'entends.

Je recevrai la nuit suivante, dans un rêve, un message écrit sur un papier : « La vie ne sera jamais plus comme avant. » Ce message confirme une certitude. Pourtant, à l'extérieur, tout continue comme avant.

# REMETTRE L'AMOUR À L'ENDROIT

E N MON CENTRE, un « solide » se forme au milieu du vide que j'y rencontrais au début de mon chemin. Il a la résistance et la force de la pierre et du métal.

Il n'est pas soumis aux mouvements incessants des sentiments et des émotions qui apparaissent, de ce point de vue, comme des vagues à la surface de l'eau. Il ne s'éclate pas et ne s'écoule pas dans des expressions désordonnées.

Constant, il ne se laisse pas ébranler par les humeurs, la température, mes comportements et ceux des autres, par les informations bonnes ou mauvaises. Constant, il persiste même en l'absence de la Voix. Il n'est pas indifférence. Il n'est pas rigidité. Il est respiration. Il est détachement.

L'espace et le temps changent de perspective. Je suis plus près des saveurs, des odeurs, des couleurs et des sons de la vie qui prennent une dimension d'éternité. Je suis plus éloignée des événements de la vie qui deviennent un point dans mon histoire que je vois de haut et de loin. Je touche, goûte et hume l'arbre, tout en voyant la forêt. J'ai vécu ma vie à l'envers. Les événements de ma vie ont été des monstres, qui envahissaient toute ma conscience, et une brume épaisse, qui me cachait l'instant. J'ai donné aux événements un poids, une densité et une opacité plus réels que la réalité qu'ils cachaient et la vie qu'ils écrasaient.

Les événements de ma vie ont le parcours sinueux et utile des filets d'eau qui cherchent le lit du fleuve. Que de fois je me suis égarée! Que de fois j'ai oublié ce que je cherchais! J'ai été ballottée par mes sentiments, mes pensées, mes certitudes et mes croyances, qui contrôlaient mes mouvements et mes gestes, alors qu'ils ne sont que fleurs écloses au matin, appelées à faner et mourir le soir. De ce centre solide, tout est important et tout est sans importance. Je comprends l'histoire de ce moine qui, accroché au flanc d'une montagne d'où il peut tomber, goûte aux fraises qui y poussent.

En ce lieu solide, la vie est fluide. Elle naît, court, danse, se tord, fait des bulles, affronte l'adversité, s'assèche et renaît comme l'eau des rivières.

En mon centre, un « solide » se forme. J'ai déjà eu conscience d'une solidité intérieure qui se dissolvait à l'usure, aux épreuves et à l'absence. Ce solide est tout autre: il se forme à l'usure, aux épreuves et dans l'absence. Il est une pierre polie par le sable, l'eau et le vent. Il est une épée martelée et ciselée dans le feu de la forge.

En mon centre, un « solide » se forme à même ma chair, mes os et mes terres. Tout n'est pas accompli, loin de là. Je suis une petite île au milieu d'une mer. J'oublierai peut-être ce point solide, mon île. Peut-être devrai-je même la quitter pour plonger dans les eaux de la mer. La danse de la vie continue. Mon chemin, lui, ouvre enfin sur l'Infini.

## Un grand vent

« Mais j'ai grandi comme un arbre qui manifesterait son goût de vivre en donnant sa part d'eau et de soleil aux arbres voisins, qui laisserait couler sa sève par ses racines, ses branches et ses feuilles à la fois. D'aller chercher ma part d'eau et de soleil, de conserver la sève pour moi, m'apparaît égoïste, ne se conçoit même pas... Je ne suis pas un arbre qui, regorgeant de pluie et de soleil, est content d'abriter les oiseaux et d'ombrager les êtres qui désirent profiter de sa fraîcheur ; je suis un arbre qui apprend à peine à résister à la tentation de céder sa sève et sa place au soleil. » (*Au-delà du mur*, p. 87-88)

Un grand vent a balayé mes terres. Il a coupé les derniers fils qui me retenaient prisonnière et, du coup, je me suis retrouvée à l'endroit à l'intérieur de moi. Les dernières attaches, les derniers poids, qui courbaient l'arbre et retardaient sa croissance, ont cédé.

Dans *Au-delà du mur* et dans ce livre-ci, je décris la culpabilité et la bonne conscience qui rongent et tuent la vie. Que de fois, je leur ai résisté! Que de fois, j'ai refusé d'agir sous leur emprise! Que de fois, j'ai voulu les arracher de moi!

Résister à la culpabilité et à la bonne conscience, dire non, les renvoyer au loin avec une baffe ou une engueulade, ne suffit pas pour s'en libérer. La culpabilité et la bonne conscience ne sont pas des cochonneries à radier de nos vies. Elles sont l'amour à l'envers. Elles sont le développement à l'envers d'un très beau germe. Les radier sans plus, c'est tuer le germe. Les transformer permet au germe de reprendre, à l'endroit, sa croissance.

Ma mère nous aimait beaucoup. Par amour, elle se sacrifiait pour nous. Par amour et la voyant souffrir pour nous, je multipliais les bonnes actions et me sacrifiais pour elle. J'ai offert mes pieds pour qu'elle soit heureuse. Me voyant souffrir, elle fit d'autres sacrifices.

Ainsi allait la roue: de sacrifices en souffrances en sacrifices... creusant de plus en plus creux le désespoir et la culpabilité. C'est ainsi que ma mère avait appris à aimer. C'est ainsi qu'elle avait compris le sens de l'histoire de Dieu parmi les hommes. C'est ainsi que j'apprenais à aimer. Elle avait appris cela de sa mère qui l'avait apprise de la sienne qui... et me l'avait enseigné. Un très long égarement.

Ma mère, qui m'aimait, se détruisait pour que je sois heureuse. Par amour, elle causait l'inverse de ce qu'elle espérait: je me détruisais pour elle. L'amour qui ravage: l'amour à l'envers.

Refuser la culpabilité, refuser de se sacrifier, refuser d'agir par bonne conscience, s'éloigner des gens en détresse, ne suffit pas pour remettre l'amour à l'endroit. Dire, comme beaucoup de personnes de ma génération et comme certains enfants que nous avons engendrés, « Moi, je m'occupe de moi », ne suffit pas pour remettre l'amour à l'endroit. Se foutre des gens ou donner de l'argent pour une bonne cause, ne suffit pas pour remettre l'amour à l'endroit.

Pour retourner l'amour à l'endroit, il faut aller vers soi, cultiver et travailler ses terres intérieures, croître, développer l'arbre que nous sommes. Un arbre mûr donne ses fruits. Un arbre maigrichon, fluet et rabougri, ne donne rien.

Comme bien des gens, j'ai remplacé le plaisir d'être et de grandir par les plaisirs et les corvées du faire. Faire de l'argent. Faire des voyages. Faire des sacrifices. Faire son travail. Faire du bénévolat. Faire l'amour. Faire... Tous ces « faire » ne seront jamais suffisants pour remettre l'amour à l'endroit. Tous ces « faire » extérieurs, qui ne sont pas accompagnés par un « faire » intérieur, peuvent donner l'illusion de grandir mais ne pourront jamais remettre l'amour à l'endroit. Il font pousser les basses branches de l'arbre, mais ne le font pas croître. Des pas extérieurs, aussi magnifiques et grandioses soient-ils, auxquels ne correspond aucun pas intérieur, ne remettront jamais l'amour à l'endroit.

Le vent a balayé la ville. Une pluie diluvienne l'a

nettoyée et nourrie. Il y a tant de personnes moroses, chagrines, découragées, désemparées et désespérées dans la ville. La morosité se nourrit autant des sacrifices que du chacun-pour-soi, de la bonne conscience que du je-m'en-foutisme, de l'amour à l'envers que du manque d'amour. Alors que je marche sous la pluie, un arc-en-ciel traverse le ciel. Le soleil couchant colore de rose, de mauve et d'orange les nuages gorgés de pluie à l'est. Le ciel est féerique.

Je sais enfin qu'aimer, c'est reprendre le chemin de sa croissance et célébrer la vie.

## La chrysalide

Où suis-je ? Les derniers fils coupés, je me retrouve dans un espace où je ne reconnais rien.

Commence alors une longue danse avec l'Adversaire qui, dès que reconnu, change de visage et de tactique. Après des semaines de lutte, mon chemin m'apparaît tout à coup comme un grand détour raté qui aboutit à un trou vide. Ébranlée, je suis sauvée par l'image de Pierre marchant sur les eaux qui, alors qu'il s'approche de Jésus, s'enfonce. « Pourquoi as-tu douté ? » lui dit Jésus (*Mt* 14,22-31). Comme Pierre, je tends la main vers Lui. Je veux continuer.

Une personne, en crise paranoïde, m'attire et m'aspire encore plus profondément dans la peur, une peur viscérale, difficile à raisonner. Je suis au centre du chaos. Le monde m'apparaît malade, imprévisible, capable de toutes les folies et de toutes les violences. Je regarde la peur. Je regarde ma peur. Je veux continuer.

J'ai été opérée : le clou au centre du fémur a été enlevé. Je guéris vite et bien. Je conserve, de ce séjour à l'hôpital, le souvenir des jumeaux, nés quelques minutes avant l'opération dans la salle voisine, et le souvenir des dames chinoises, hospitalisées dans la même chambre que moi.

Je me sens ailleurs et nulle part. Une fine membrane invisible m'enferme et m'empêche d'entrer dans un pays nouveau. Le langage de l'ancien pays ne convient plus. Ses mots, ses explications et ses significations sonnent faux. Je dois décrypter un nouveau langage, me dit un rêve.

Tout m'invite à rester calme, silencieuse, tournée vers l'intérieur. Il me faut, plus que jamais, être totalement honnête avec moi-même et avec Marie Hélène, à la fois guide et pèlerin sur cette même route.

Ce qui se passe n'a rien à voir avec les images ou les croyances antérieures, récentes ou nouvelles. Ce qui se passe transcende toutes mes images et mes croyances.

Je reste là, suspendue dans le vide, comme une chrysalide dans son cocon.

Comme une chrysalide, je regarde, émerveillée, le travail qui peu à peu me transforme. Il ressemble à une longue chaîne d'émondages sans douleur et de définitions par la négation : je ne pense plus que... je ne crois plus que... je ne suis plus... je n'appartiens plus à... Étrange. Libérateur.

Le temps poursuit son œuvre. Parfois, impatiente, je voudrais briser le cocon par la force de mes dires et de mes actions. Il est difficile de s'abandonner au silence et au lent mûrissement.

À travers un voile qui me recouvre et m'enveloppe, j'entends parfois un cœur battre et respirer, un cœur autre que l'organe, un battement et une respiration venant des êtres humains que je rencontre. Des moments de grâce.

Le désir de Dieu est planté en nous. Je commence à l'entendre. Il est un feu qui sommeille. Il est un feu qui s'éveille. Il est un feu qui ne veut plus être retenu et confiné dans un espace clos. Il veut courir et brûler librement. Mon désir de Dieu désire Dieu.

## La chrysalide et la tortue

Il est facile de haïr, de s'impatienter, de désespérer. Il est si difficile d'aimer. Il est facile de se fâcher, de maugréer, de se plaindre, de juger, de détruire. Il est si difficile d'aimer. Comment comprendre ? Aucun effort pour juger, détruire et haïr et tant de travail pour apprendre à aimer.

Je ne parle pas ici de gentillesse, de savoir-vivre, de politesse, de douceur, d'attention à l'autre, ni même d'écoute. Je ne parle pas du besoin des autres. Je ne parle pas d'attrait et d'attirance, ni de sexe. Ces attitudes et ces comportements n'ont rien d'incorrect. Au contraire. Mais ils m'étouffent. Je ne veux plus aimer de cette sage façon. Je ne veux plus me contenter d'aimer de cette sage façon. Je ne veux pas me contenter d'un masque de l'amour.

Comment comprendre que l'amour reste prisonnier en moi ? Comment comprendre qu'il se recroqueville sur lui-même jusqu'à disparaître ? Comment comprendre qu'il reste insaisissable, hors de portée, caché et enchaîné dans le cœur de mon être ? Comment comprendre qu'il ne prenne pas possession de moi ? Comment comprendre que Jésus ne se lève pas en moi, alors que je l'appelle de tout mon cœur ?

Il est pourtant toujours présent, prêt à naître en moi. Il construit et vérifie ma patience, ma solidité, ma totale et complète confiance en Lui.

Je rêvais de devenir papillon et pensais que, pour ce faire, la tortue devait mourir. Je découvre que le papillon naîtra d'une longue rencontre amoureuse de la chrysalide et de la tortue. La légèreté naîtra de la lourdeur, de la persévérance et de la patience.

Avec la seule grâce du Plus Grand qui m'habite, me respire et me fait respirer, la tortue enfantera le papillon. C'est dans son ventre que mûrit la chrysalide.

## L'angoisse

Je sais qu'elle est là. Je sais qu'elle habite mon ventre. Je dois la rencontrer. Sur mon chemin, j'ai été saisie par la puissance de la violence et j'ai vécu le dépouillement et le vide de la désolation. Violence, désolation et angoisse : ces trois mots se sont mis à danser dans ma tête. Ils semblent inséparables, comme trois facettes d'une même pierre précieuse.

Le mot hébreu pour angoisse est *metsouqa*. Il cache en son cœur les mots pourriture, gangrène, flétri, se dessécher, la fin, la destruction, mais aussi les mots rocher, moisson, se réveiller, accomplissement et espérance.

L'angoisse est une désintégration dans le rien, une chute dans le vide, une explosion ou une contraction du corps, que la tête ne peut plus contenir et arrêter. Elle est un point dans l'espace, l'espace dont on ne sait si on reviendra. Elle est un total, incontrôlable et terrifiant lâcher prise, un saut dans l'abîme. Gethsémani.

Il y a l'angoisse qui saisit, comme ça, sans crier gare. Elle semble nous briser en morceaux, nous déchiqueter. Saisis en son centre, comme au cœur d'une tornade, nous essayons de rattraper et de retenir tous ces morceaux de nous projetés dans toutes les directions.

Et il y a l'angoisse vers laquelle je marche doucement, en coupant tous les liens, en abandonnant toutes les attentes, en laissant aller, en me détachant de tous les regards. On dirait que je marche vers la mort. Je sais que je marche vers la vie.

Devant moi, une ouverture, une porte. Elle a la forme d'un immense cercle qui ouvre sur l'espace sombre et silencieux. J'avance pas à pas.

## Dissolution

Me voici au cœur de ces bons vieux personnages aban-
donnés au début de mon chemin. Mon chemin a
creusé jusqu'à leur racine. J'y ai trouvé une conscience
de moi que certains appellent l'ego et que j'appelle
« je ». Est-il différent du « je » que j'ai senti naître en
cours de route et du solide qui en moi formait une île ?

*Je* fais le chemin. *Je* cherche Dieu. *Je* veux aimer. *Je*
chante. *Je* danse. Je ne sais comment dire, sinon que
*je* dois mourir.

De pouvoir dire « j'aime » me semblait être l'ultime
pointe de mon développement intérieur, un achève-
ment. Je découvre peu à peu l'enflure et la prétention
de ce *je* aime. Ce *je* qui sépare pour aimer, qui se place
à part pour regarder les êtres aimés, m'apparaît plein
de lui-même. Il est un être dressé et rigide au milieu du
courant de la vie, sorte de point d'observation et de
poste de contrôle. Même avec la meilleure intention
du monde — celle d'aimer —, il résiste à la vie. Il est
séparé des chants qu'il veut chanter, des danses qu'il
veut danser, des êtres qu'il veut aimer. Lui, barrière-
distance, la vie.

Il se croit source et origine : *je* aime. Il est tout aussi
aveugle que celui qui, en se pétant les bretelles et en se
gonflant la poitrine, dit : *je* réussis.

Pourtant je ne dédaigne ni ne méprise la réussite.
Au contraire. Je crois même qu'il faut atteindre une
certaine grandeur pour en découvrir la relativité. *Je*

aime. Il me fallait aller au bout de ce « je ». Il fallait que je reconnaisse et fasse croître ses possibilités, pour en découvrir la grandeur et la petitesse.

Ce « je » aime a été ébranlé dans ses profondeurs. J'ai senti un courant, qui semblait venir d'en arrière de moi, me soulever avec puissance : je suis aimée. Tout à coup, il importait peu que j'aime. Seul ce courant auquel je cesse de résister, me fait participer à la vie et me relie à la vie. Ce courant est la vie.

L'opacité du « je » qui réussit ou aime, crée des frontières en moi et entre les autres, la vie et moi. Je croyais être en exil de moi. Entrant chez moi, j'ai voulu apprendre à dire : j'aime. Maintenant, je sais être en exil de la vie, hors du courant de la vie.

Il me fallait désirer aimer pour chercher mon cœur. *Je* aime me mène à un seuil que je ne peux franchir. *Je*, même aimant, doit se dissoudre. Il n'est plus rien. Il est rien.

Je suis aimée. Cette nouvelle réalité, seule, peut me faire franchir un seuil. Cette nouvelle réalité me transperce comme un mince filet d'eau qui infiltre le roc. Cette nouvelle réalité m'éveille et me donne envie de pleurer.

Je suis aimée. Derrière moi, il y a Quelqu'un. Il est derrière, au-delà, autour, en face. Il est là. Je suis portée et nourrie par Lui. Je baigne en Lui. Les paroles si souvent répétées dans les liturgies chrétiennes commencent à prendre un sens et une substance : par Lui, avec Lui et en Lui.

Je ne suis qu'un « je » séparé, épuisé, dérisoire, au seuil de cette grande respiration que je commence à sentir et qui commence à me soulever : je suis aimée. Je brûle du désir d'être consumée par cette réalité de feu : Dieu m'aime.

Pour le moment, je ne suis qu'un sac vide, effondré, au seuil d'une porte que je ne peux franchir. Seul Dieu peut abolir les distances et les séparations. Seul Dieu peut me relier à la vie. Pouvoir enfin être tissée dans le mouvement qui relie la musique qui soulève, l'air qui porte et résiste, la terre qui supporte, le ciel qui couronne, le cœur qui bat, l'Esprit qui souffle, le corps qui bouge et les autres qui chantent.

## Une caricature de la vie

Je croyais en avoir fini avec mes personnages. Je les croyais dissous, transformés. Voilà que je les retrouve à la racine d'eux-mêmes, infiltrés dans mes cellules où ils sécrètent sournoisement la bonne conscience, la bonne conscience des vertueux et la bonne conscience de ceux qui disent ne pas en avoir.

Je colle à ces bonnes consciences comme à une matière visqueuse qui tue la vie. Je suis dans une prison dont il est difficile de voir les murs tant ils sont tapissés de bons mots, de bons gestes, de vertus et d'idéaux. La bonne conscience peut sembler permettre la croissance de la vie mais elle la réduit à un jardin cultivé en rangées, dans une serre, sous température contrôlée.

La bonne conscience est tissée de mensonges. Elle nourrit tous les personnages du monde : les pieux, les vertueux, les gagnants, les perdants, les révoltés et les autres. La bonne conscience est un poison subtil de la pensée et du cœur : elle alourdit et détruit peu à peu la vie, alors qu'on a l'impression « de faire le bien ». Je regarde cette bonne conscience en moi. Dans mon désir d'aimer à l'endroit, je croyais l'avoir irradiée et je la retrouve dans des terres plus profondes, camouflée, avec ruse, parmi les pierres de mon chemin.

La bonne conscience est le plus rusé des tueurs. Elle enferme dans le labyrinthe, elle le pave de bonnes intentions, elle fait résonner en ses murs des applaudissements, des « je nous aime », des « j'ai-vous avez raison », comme une sorte de musique qui hypnotise et nous fait oublier le labyrinthe où nous sommes emprisonnés.

La bonne conscience est une des ruses les plus dangereuses de l'adversaire-ennemi. Elle détruit de l'intérieur et nous assèche.

La bonne conscience est une caricature de la vie. Nos personnages deviennent plus réels que la vie. Nous donnons notre vie en échange d'une illusion. Nous confondons nos acquis avec la vie. Nous confondons une serre avec l'univers. Nous confondons une piscine avec la mer.

La bonne conscience juge et tranche. Alors que je la retrouve au fond de mon ventre et dans ma vie, je lutte avec les « devrais-devrais pas », les « il faut » et les « à faire ». La bonne conscience ne m'épargne pas.

Je dépose devant moi tout ce fourmillement de pensées, de sensations et d'images. Je me sens étrangement nue. Le *je* aime m'apparaissait dérisoire. Aujourd'hui, c'est la route qui s'effondre. Les « à faire et ne pas faire, à dire et ne pas dire, avoir ou ne pas avoir » m'apparaissent tout aussi trompeurs, même s'ils sont alimentés par l'idéal du chemin.

C'est un grand moment de rien. C'est un grand moment de grâce. C'est un grand moment où ma volonté ne peut rien. Si elle agissait maintenant, elle ne pourrait que me ramener dans les murs du labyrinthe pour y faire quelque chose. Rien. Ici. Là. Tous des noms de Dieu en hébreu.

En ce rien, un désir d'être — qui n'a rien à voir avec le laisser être, la spontanéité, l'impulsivité, le dire ce que l'on pense et ce qu'on ressent — grandit jusqu'à devenir un cri silencieux.

### C'en est assez !

Je me suis éveillée brutalement au fond d'une caverne d'où je crie : « C'en est assez ! ». C'en est assez du mensonge. C'en est assez du silence complice du mensonge. C'en est assez des manières et des mots pour ne pas blesser, ne pas faire de la peine, parce que je veux aimer. C'en est assez de cet amour pieux, tiède et complaisant. C'en est assez de marcher sur des œufs pour ne pas blesser ou irriter quelqu'un, ne pas faire des vagues et ne pas provoquer des crises. C'en est assez de cet amour-là, qui construit des châteaux de mensonges. J'en ai assez de me taire, de faire comme si et de faire semblant.

La bonne conscience et le mensonge sont des poisons qui tuent par petites bouchées, qui grignotent de l'intérieur. Nous multiplions les gestes et les mots, nous ajoutons des couches de vernis à mesure que nous disparaissons de l'intérieur. Nous devenons des personnages rigidifiés, des « sépulcres blanchis », disait Jésus.

J'en ai assez de la bonne conscience et du mensonge. Ils nous gardent à quatre pattes et rampants. J'en ai assez de cet homme bon, « totalement incapable d'entrer avec la moindre chose dans un rapport qui ne soit celui de la fausseté malhonnête, fausseté foncière, mais aussi fausseté innocente, fausseté ingénue, fausseté aux yeux bleus, fausseté vertueuse » (Nietzche, cité par J.-M. Piotte, p. 469). J'en ai assez d'être cette femme bonne.

Un mensonge fondamental construit la prison de nos vies et nourrit tous nos mensonges quotidiens. Il nous fait accroire que le meilleur de la vie est cette vie aménagée, pour ne pas avoir mal ou ne pas se faire mal. On met alors les tueurs en prison, on donne des pilules à ceux qui ont mal, on essaie de raccrocher tous les décrocheurs et on se dit que la recherche va régler tous les problèmes. Si quelques récalcitrants n'entrent pas dans les rangs, on en conclut, en toute bonne conscience, que c'est de leur faute ou la faute de quelqu'un d'autre.

Il me semble que je refuse depuis des années une vie rapetissée. Aujourd'hui, mes yeux s'ouvrent et je vois l'ampleur de ma participation au mensonge. Je la vois dans mes mots, dans mes gestes, dans mes regards, dans mes silences, dans mes sentiments et dans mes attentes. Mon mensonge et mon hypocrisie éclatent devant mes yeux. Je n'en suis pas atterrée. Je suis libérée.

Libre enfin de me mettre debout. Libre enfin de parler. Libre enfin de participer à la danse de la vie. Libre enfin de grandir. Libre enfin de savourer la beauté et la fureur de la vie. Libre enfin, car je retrouve en moi la certitude « que Dieu se fait homme pour que l'homme devienne dieu » (Saint Irénée, cité par Souzenelle 1, p. 33). Rien de moins.

Tout ce qui est moins que cela est une étape du chemin qui, érigée en absolu, devient l'oubli fondamental, le mensonge fondamental. Seule l'honnêteté fondamentale peut faire éclater le mensonge fondamental. L'honnêteté provoque des séismes. Je n'ai plus peur des séismes. Ils sont porteurs de vie.

### Le divin « en-Seigneur »

Cette dernière étape commence par un rêve. « Une dame vient et demande qui veut l'instant. Je réponds : moi. Elle m'apporte alors une plante aux fleurs magnifiques. Alors qu'elle s'approche de moi, une tige fleurie brise. J'en suis peinée. Elle me remet le pot de fleurs et casse au ras du sol chacune des autres tiges. Je suis sidérée. Elle me regarde et me dit qu'il en est ainsi de cette plante. Les tiges cassées, elle repoussera encore plus belle. Il me faudra casser les nouvelles tiges fleuries. Elle me montre un bac de semences et me dit qu'il en est ainsi pour toutes ces semences. »

L'instant. Laisser aller. Ne pas retenir. Continuer.

Les ébranlements et les brisures se sont multipliés autour de Marie Hélène et moi. Nous avons accueilli ces événements qui nous sollicitaient dans la quotidienneté de nos vies.

Nous pénétrons un espace de brume. Elle envahit autant nos pensées que nos sentiments et voile nos points de repère. Nous avançons à tâtons. Le mot hébreu pour brume (*eraphel*) me révèle que nous sommes conduites vers la poussière et une nouvelle fécondité. L'expérience ressemble à une disparition des formes dans l'espace : ce qui était là s'estompe jusqu'à n'être plus.

L'instant. Ne pas retenir. Continuer. Mes pas deviennent lourds. Mon corps devient lourd. J'ai l'impression de rencontrer une résistance dure et froide. Au dehors, le verglas recouvre et immobilise mon coin de pays. Les arbres brisent. Les animaux meurent. Les êtres humains se mobilisent.

Je continue de traverser ma plaine de glace désolée. Je me sens très seule. Je sais que le verglas, en dedans et en-dehors, porte une fécondité que je dois prendre en main, comme son nom hébreu me l'enseigne (*kephor*).

Un autre rêve m'informe du travail qui se fait en moi. «Un éléphant a brisé une croûte, épaisse et dure comme du ciment, qui recouvrait ma terre. Un homme m'informe qu'un hibou va continuer de creuser la terre. Je doute qu'un oiseau puisse faire un tel travail. Mais je constate qu'il en est ainsi. Je sais que le hibou enlèvera aussi une fine membrane qui recouvre mes yeux. Je vois le hibou qui, de son bec, soulève le coin de la membrane. »

L'instant. Laisser aller. Ne pas retenir. Continuer. Je sais que se prépare en moi, non seulement une poussée de conscience comme tout ce que j'ai vécu, mais une mutation dont je ne connais ni la forme ni le fruit.

Cette longue traversée du pays des brumes et des glaces semble essentielle.

Ces jours-ci, je suis enseignée «à grande dose», comme en un cours intensif. Mon intelligence des choses et de moi-même éclate. Je n'arrête pas de voir, de nommer et de comprendre. J'ai un goût fou des Paroles de Dieu. Je lis et relis des passages de la Bible. Je veux lire les Pères de la Tradition chrétienne. Je m'assoirais à côté de Jésus pour L'entendre enseigner des heures et des heures, des jours et des jours, ma vie durant, tellement ses Paroles me nourrissent et m'éclairent.

La Voix, que j'entends depuis si longtemps, devient Sa Voix. Je voudrais La saisir et me laisser saisir par

Elle. J'ai tellement peur d'oublier ce qu'Il m'enseigne. J'ai tellement peur de retourner dans la confusion et le mensonge. Je ne veux échapper aucune miette de ces richesses tant chacune m'apparaît une pépite d'or.

La Voix de Jésus, la voix de l'Instant, la voix de JE SUIS en devenir d'être, me redonne la paix : « Ne vous inquiétez pas, dit-Il, l'Esprit saint, que le Père enverra en mon nom, Lui, vous enseignera tout et vous rappellera tout ce que je vous ai dit. » (*Jn* 14,26)

Ainsi se construit la force nécessaire pour porter le Souffle de mon nom, unique, comme l'est le nom fondateur de chacun. Ce nom recèle le secret, le programme et le potentiel de ma raison d'être sur la terre, de ma vocation ontologique.

## Le papillon

Sur le chemin, je décris les batailles, les rencontres avec l'Adversaire, les plongées dans les ténèbres et les circoncisions du cœur. Je connais ce corps à corps avec mes dragons intérieurs. La joie, les plaisirs, la lumière n'apparaissent qu'en des touches légères, une percée, un mince filet, vite dissous et effacés dans le tumulte de la bataille. Que comprendre ?

Les souffrances, les douleurs, les batailles et les luttes ont une densité, un poids, une résistance et un tranchant qu'il est facile de rendre en mots et en couleurs. Elles frappent, giflent, déchirent, renversent, blessent et tuent. Que dire du bonheur qui murmure en nuances fluides, comme une brise sur les feuilles ?

Ma tradition et mon histoire personnelle me rendent-elles ouverte et accueillante à la souffrance et aveugle à la lumière ? Faut-il voir sourire ces moines tibétains pour croire à la joie ? Pétrie de ces questions, j'avance. Elles sont une clef dont j'ai besoin.

Je croyais la lumière de l'autre côté de la porte. Elle est dans l'espace que j'habite. Elle est là et je continue de la chercher en avant, plus loin.

Comme les disciples d'Emmaüs qui conversent avec Jésus ressuscité sans Le reconnaître, je peux maintenant dire : « mon cœur n'était-il pas tout brûlant en dedans de moi quand il me parlait en chemin ? » (*Lc* 24,13-32)

Le bonheur, sur le chemin, est cette légère sensation. Il est un grand silence. Il est un lac tranquille. Il est une libération de la peur, des inquiétudes et des attentes. Il est une cessation des regrets et des fuites en avant. Il est une libération du passé et du futur.

Il est liberté d'être à chaque instant de nos vies. Il est la gorgée de café que je déguste. Il est la caresse de mes chats. Il est le regard de Marie Hélène. Il est les jeux de ma nièce Julia. Il est les questions de mon frère Jean-Marc. Il est les couleurs chaudes de mon logement. Il est la tristesse que j'éprouve à voir mon chat blessé. Il est la tendresse que je ressens pour mon vieux chien Ramsès. Il est cette douleur qui me rappelle de bouger. Le bonheur est où je suis si je ne veux pas être ailleurs. Il est dans les liens qui me relient à la vie. Il est dans ce côte à côte, assumé, avec les êtres humains que je rencontre.

Un vieux rabbin hassidique disait à ses élèves qu'il suffit d'enlever sa main devant ses yeux pour découvrir le Royaume. J'ai souvent pensé à lui au milieu des batailles, la main paralysée et figée devant mes yeux malgré mes efforts. Il avait pourtant raison. Le bonheur fait baisser les bras.

Le chemin est une longue suite d'élagages et de circoncisions. Il est une libération de la Lumière. Il est une libération de l'Instant. Le hibou travaille. Tout devient calme, lent et vivant.

Le bonheur, c'est comme la Résurrection. Elle arrive le matin, quand tout le monde dort et qu'il n'y a aucun spectateur, comme en cachette. Elle change le monde. Plus rien ne sera comme avant. Il vit. Je vis. Alléluia. Alléluia. Alléluia.

\* \* \*

Le papillon est sorti du cocon. Il repose immobile, hésitant, étourdi, les yeux embués, les ailes encore humides et repliées. La brise sèche ses ailes qui se déroulent et s'ouvrent. Surpris de cette étrange forme, il observe ses nouvelles couleurs et les dessins qu'elles font. Sous le choc de cette métamorphose, il ne sait que faire un pas, et attendre. Il attend qu'un souffle vienne, qu'il le soulève, le fasse glisser vers les hauteurs, planer et plonger, tout à la joie de s'abandonner totalement à cette nouvelle vie. (Inspiré d'un poème de Treya, cité dans Vardey, p. 554)

Je n'ai plus rien à faire et à dire. Je capitule. Je me rends. J'abandonne le combat. Je m'abandonne enfin à Lui. Il a vaincu mes dernières résistances et déchiré la membrane qui m'enfermait. Je Le vois enfin.

Je vois enfin Jésus. Il a révélé sa présence à travers une série d'événements et de rencontres simples. Cette révélation ouvre un large espace. Il est là. Il me porte. Je peux enfin laisser aller. J'arrête tous les efforts. Je respire. Je me détends. Je ne veux plus être ailleurs. Tout est correct.

Je ne connais pas ce nouvel espace. Je ne sais comment utiliser mes ailes. Je suis émerveillée de la vie que je découvre. Je suis émerveillée de participer à ce grand mystère de la vie. Je suis si contente et si reconnaissante d'être en vie. Je suis une nouvelle venue dans un grand pays que je découvre et aime.

Tout est correct, Micheline. Tu peux enfin te reposer. Tu as retrouvé ta maison, ton jardin, ton pays.

La joie trace un sourire paisible qui relève, discrètement, les commissures des lèvres et accentue, à peine, les pattes d'oie. La joie m'habite et m'enveloppe.

## Le pardon

Si j'arrête ici d'écrire mon expérience, ce n'est pas que tout est terminé, mais que tout commence.

Ce livre n'est qu'un moment de cette magnifique recherche de ce « quelque chose » caché au cœur de nous-mêmes, dont toutes les traditions spirituelles parlent (Rinpoche, p. 46). Dans ma tradition, on appelle ce « quelque chose » le Germe du Fils de Dieu, le JE SUIS en devenir d'être, le Verbe de Dieu, le Christ.

Le mot hébreu *tashoub* et le mot français pardon se sont mis à clignoter en moi, à s'appeler et à se répondre. Ils m'informent et me forgent depuis plusieurs semaines. « *Tashoub* » est la direction que donne Elohim à Adam après la chute. Si tu veux mettre fin à ta situation d'exil, retourne-toi (*tashoub*) vers la poussière, retourne-toi vers ce potentiel infini que tu portes. Ce mot hébreu porte la promesse d'un nouveau départ, d'un nouveau fondement, si l'homme accepte de retourner son écoute vers ses terres intérieures, poussières inaccomplies. Ce *tashoub* est en résonance intime avec le « Va vers toi », qui a marqué le début de mon chemin et m'a menée au désert.

Cette partie de mon chemin, s'achève sur le mot pardon. Pardonner est en hébreu le mot *mahol*. *Tashoub* et *mahol* sont par leur nombre (708 et 78) de très proches parents. Le retournement porte la promesse du pardon.

Le mot hébreu *mahol* se cache dans le pain (*lehem*)

qui nourrit, dans le songe (*ḥalom*) qui instruit et dans le sel (*melaḥ*) de la terre. Le pardon est en hébreu le mot *meḥila*. Il est la semence, le Yod, qui s'installe au cœur de la maladie (*maḥala*) et qui guérit. Je crois au pardon. Je l'ai rencontré. Je peux maintenant poursuivre ma route.

Tremblante, une joie paisible au cœur du ventre, j'entreprends une autre étape de mon chemin. « Que Ta volonté soit faite ! », ai-je le goût d'ajouter.

« Amen, Amen, Amen ».

# Comment naître de nouveau?

## CHAPITRE I

# « VERS LA POUSSIÈRE, RETOURNE-TOI »

QUE COMPRENDRE de ce chemin ? Est-il possible d'en retracer les grandes étapes, les formes, les couleurs et les écueils ? C'est à cette tâche que je m'applique maintenant, dans cette deuxième partie.

## *L'invitation*

Tout commence par un profond malaise et par une invitation. Tous les plaisirs de la vie, alors même que j'en suis comblée, me semblent plats et vides. Un abîme s'ouvre brusquement entre la soif profonde que j'éprouve et toutes les jouissances et tous les biens offerts par la vie. Le désir de Dieu est à vif.

Il ne me suffit plus alors de savoir que Dieu existe. Il ne suffit plus de croire en Lui ou de ne pas y croire. Mes connaissances de Dieu semblent dérisoires, dépassées, presque inutiles. Mes connaissances et mes croyances, qu'elles m'aient alimentée, sécurisée, consolée ou non et les objectifs de ma vie « perdent tranquillement leur sang » (Wilber, p. 263).

Je sais alors que je suis allée au bout de moi-même dans l'espace connu de mon être. Aucun correctif de ma personnalité et aucun changement extérieur, comme changer de travail, de conjoint ou de lieu d'habitation, ne peuvent colmater l'écoulement de sens. Je n'ai pas de changement à apporter. **Je dois changer,** renaître dans un nouvel espace. La chenille doit devenir un papillon.

C'est au cœur même de ce malaise que j'entends l'invitation. La très belle histoire de Noé s'impose. Noé est ce patriarche à qui Dieu demande de construire une arche et d'y entrer avec sa famille et des animaux de toutes les espèces, en prévision d'un déluge qui doit purifier toute la terre (*Gn* 6,25-9,19).

Cette invitation m'est adressée. Je suis invitée à construire une arche et à y entrer. Je suis invitée à une grande purification. Je dois accepter de pénétrer mes ténèbres intérieures pour en faire de la lumière, mon inconscience pour la transformer en conscience, dans un espace dont je ne connais ni la profondeur, ni la grandeur, ni la puissance et ni la beauté.

Pour entrer dans l'arche, je dois quitter ce qui a fait jusqu'ici ma solidité. Je dois quitter la psychologie, mes certitudes et mes croyances. Elles m'ont fait avancer et croître jusqu'à ce jour. Maintenant, elles m'enferment sur moi-même et je tourne en rond, piégée dans un labyrinthe dont je connais de plus en plus tous les recoins.

Pour quitter ce labyrinthe, je dois suivre l'appel

d'une voix d'une essence nouvelle qui semble provenir d'un espace intérieur encore invisible.

« Quitte ton pays, ta parenté, la maison de ton père... » (*Gn* 12,1) dit Yahvé à Abram. « Entre dans l'arche, toi et toute ta famille » (*Gn* 7,1), dit Yahvé à Noé.

Ce n'est pas la première fois de ma vie que j'entends cette voix. Lors de moments difficiles de ma vie, saisie par l'horreur, broyée et cassée, je l'entendais au loin qui apaisait mon cœur. Elle a été aussi une sorte de son, sans mot, qui ne cessait de revenir me hanter quoique je fasse, dans un événement ou un rêve, dans la maladie, un film, une musique ou un regard.

Pour ne pas entendre son appel, j'ai multiplié les bruits extérieurs, les activités et les projets. Je me suis engagée dans des explorations psychologiques intenses et prolongées, croyant ainsi faire taire ce son. Le malaise semble incrusté dans la chair et indélébile.

Mais cette fois-ci, la voix se fait entendre avec une exigence nouvelle, une qualité autre, qui me dépasse et me bouleverse. Pour entendre cet appel, il faut arrêter, faire silence et accepter d'écouter sans répondre. Mes réponses, à ce point, ne peuvent être que des redites qui étouffent et couvrent la voix. « Et toi, Micheline, où es-tu ? » me disait la Voix.

Une parole, au cœur de l'infini silence, vient à ma rencontre. Ici, tous les hommes sont égaux, chrétiens, non chrétiens, croyants et non croyants. Chacun peut écouter le silence.

Je ne sais pas alors ce que signifie l'écoute de cet appel. Je ne sais pas comment je contribuerai au travail qui me permettra de quitter cette terre où je me sens prisonnière. Je ne sais pas que cette entrée dans l'arche exige un retournement vers mes terres intérieures et vers tous les animaux qui y habitent. Je suis conviée à un face-à-face avec moi-même, dans un espace où les techniques habituelles de la psychologie sont utiles, parfois nuisibles et sûrement insuffisantes.

Thérèse D'Avila décrit l'intériorité de l'âme comme un château aux multiples demeures. A mesure que j'avancerai sur ce chemin, je comprendrai que mes recherches antérieures m'avaient rapprochée du château mais ne m'y avait pas fait entrer.

Pour y pénétrer, j'apprendrai peu à peu l'exigence, la force et la beauté du retournement. Je découvrirai une réalité intérieure d'une richesse et d'une grandeur infinies. Cette très belle parole de Yahvé à Adam, «Vers la poussière, retourne-toi» (*Gn* 3,19), martèle mon cœur et devient source d'espérance. Elle est un don de Dieu qui m'indique la direction du château.

Ce regard totalement tourné vers l'intérieur, ce regard qui observe la vie, les événements et les personnes pour mieux se comprendre lui-même, abolit progressivement les séparations entre soi et les autres. Peu à peu, ce qui est extérieur à moi devient un miroir de ce que je suis. Les événements de ma vie et les personnes que je rencontre, objectivent et font sortir de l'ombre mes animaux intérieurs.

Ce retournement, bien qu'exigeant et pénible, est étrangement libérateur. Il fait fondre les murs de ma prison et me fait pénétrer dans des espaces dont j'ignorais totalement l'existence. Je découvre un potentiel aussi multiple et infini que les poussières. J'entrevois, de mieux en mieux, la signification de cette parole de Jésus : « Le royaume des cieux est en vous. »

Chaque événement et chaque personne deviennent ainsi une occasion d'agrandir et de diversifier mon espace intérieur et d'en faire éclater les frontières. Ce retournement est révolutionnaire. Il secoue mes fondements et provoque un bouleversement dont je commence à peine à comprendre les conséquences.

## Mon frère le corps

Je peux maintenant, comme François d'Assise, appeler frère, ce corps qui participe tant à mon retournement. Je le découvre comme un miroir fidèle du travail que j'ai à faire ou qui se fait dans mon intériorité.

Les maux et les maladies de mon corps commencent à révéler leurs secrets. Ils manifestent, à la surface de ma conscience, un son qui origine d'un espace inconnu. Ils éclairent un nouvel espace que je suis invitée à travailler. Ils accompagnent, supportent mon désir de grandir et lui font résistance. Ils m'invitent à regarder vers l'avant, en suscitant une nouvelle question —

qui irradie l'ancienne toute tournée vers le passé : qu'est-ce que j'ai encore fait ? — : pour quoi suis-je malade, pour découvrir quoi, pour apprendre quoi, pour aller vers quoi ?

Le corps m'informe d'une exigence de croissance. Il se mobilise et réclame mon écoute. L'espace dans lequel je vis, est accompli. Je dois maintenant me tourner vers une terre nouvelle.

En d'autres temps, le corps informe d'un travail qui est en train de se faire. Ses maux accompagnent le travail. Ils sont, dans ce cas, une descente nécessaire aux enfers avant de percer vers la lumière. Ils sont les ténèbres qui recèlent et libèrent la lumière. Ils sont parfois nécessaires pour briser la dure coquille qui m'emprisonne. Adversaires de taille, ils m'obligent à plus de force.

Me contenter de soigner et de soulager les maux et les maladies de mon corps, refuser ses questions et ses appels troublants et dérangeants, c'est le condamner à la répétition et provoquer l'usure et l'effondrement de ses systèmes.

Sur le chemin, mon corps devient le lieu où se manifestent les luttes intérieures et les transformations. Il devient tout précieux. Il m'oblige à poursuivre ma conquête et à m'accomplir.

## CHAPITRE 2

## LA DANSE DE LA VIE

TOUT AU LONG de mon expérience, les histoires et les personnages de la tradition judéo-chrétienne s'animeront et éclaireront ma route. Les récits de la création, de Caïn, Noé, Abraham et Jacob, des plaies d'Égypte et de Job, sortent de l'histoire ancienne pour devenir présents et actuels. Le parcours du peuple hébreu et les luttes de ses héros deviennent un modèle et un guide du chemin à suivre. Ils me révèlent une réalité supérieure inexprimable dans laquelle je baigne, une grande histoire à laquelle je participe.

Je comprends peu à peu que le labyrinthe dans lequel je me sens piégée, est une terre d'exil, d'apprentissage et de maturation nécessaires pour pouvoir continuer ma route. Je comprends aussi que pour sortir de cet exil et marcher vers la terre promise, il me faut affronter des obstacles et des épreuves. L'invitation de Jésus, « Prends ta croix et suis-moi » (*Mt* 16,24), commence à prendre un sens.

Le livre de l'Exode, qui raconte la sortie du peuple hébreu de l'Égypte (*Ex* 7,8-14,30), devient un phare au milieu du brouillard. Les Hébreux demeuraient en Égypte depuis quatre cents ans. Ils sont devenus esclaves en ce pays. Le temps est venu, pour eux, de sortir de cet esclavage. Yahvé suscite Moïse qui, avec son frère Aaron, doit rencontrer le pharaon des Égyptiens pour le convaincre de laisser partir les Hébreux. Dix plaies s'abattront sur les Égyptiens avant que le pharaon consente à les laisser partir. Même alors, il le regrette et part à la poursuite des Hébreux. Il périt avec ses chevaux et ses cavaliers, dans la mer qui se referme sur eux.

Je suis à la fois l'Hébreu qui doit grandir et L'Égyptien qui fait obstacle*. Je deviens l'espace où deux forces s'affrontent : un Germe qui exige de croître, qui pousse à grandir, à accomplir le potentiel que je recèle dans le creux de mon ventre ; l'autre qui résiste, qui se fait l'Adversaire. Je découvrirai, peu à peu, que toutes deux sont des créatures de Dieu. L'Adversaire a une fonction ontologique.

De nombreuses personnes veulent atteindre magiquement et rapidement des espaces intérieurs avec peu d'effort. D'autres veulent se décharger de ce qui fait mal, de leurs angoisses ou de leurs souffrances. Elles sont souvent de grandes consommatrices de techni-

---

* Il est sans doute important de rappeler ici, que tout être humain, même l'Hébreu et l'Égyptien de notre temps, ont en eux ces deux forces.

ques ésotériques ou du nouvel âge et de drogues. Qu'elles visitent les enfers ou de nouveaux cieux, elles n'ont pas pour autant conquis et maîtrisé les énergies de ces espaces. Comme le dit Wilber, « Il ne s'agit pas de vivre des expériences spirituelles mais de vivre à la hauteur des expériences spirituelles. » ( p. 209) Les Hébreux et les Égyptiens ont dû affronter dix épreuves — les dix plaies d'Égypte — avant que les Hébreux aient la maturité nécessaire pour faire le passage. Même alors, ils ont peur et regrettent, quelques instants, le temps où ils étaient esclaves et en sécurité.

Sur ce chemin de notre renaissance, il n'y a pas de raccourci. Si la magie des drogues et des techniques peut parfois laisser entrevoir de nouveaux espaces, elle ne peut remplacer le travail. Nous ne pouvons éviter ni contourner la longue maturation qu'exige cette croissance spirituelle.

Beaucoup de nos désœuvrements et de nos errances ont leur origine dans notre refus de rencontrer l'adversité et l'Adversaire. On veut réussir vite, sans effort, sans frustration et sans souffrance.

L'adversaire est devenu une présence dont j'apprends à discerner les ruses. Il utilise les événements pour me faire obstacle. Il fait miroiter un succès facile. Il s'incruste dans mes pensées et sème la confusion et le doute. Il nourrit mes illusions et mes mensonges. Il exacerbe mes émotions. Il m'ensorcelle de maintes façons pour m'entraîner à l'extérieur de moi et me faire oublier la nécessité de l'effort ou en douter, de la persévérance, de l'amour et de la durée qu'exige ce travail.

J'ai souvent cru que j'étais prête, comme les Hébreux, à quitter ma terre d'exil, pour me retrouver, avec les Égyptiens, devant une nouvelle épreuve. « Yahvé endurcit le cœur du pharaon et il ne laissa pas partir les Hébreux » (*Ex* 9,12 ; 10,20 ; 10,27 ; 14,4) jusqu'à ce qu'ils soient prêts à vivre libres.

Dans ce travail de maturation, je suis confrontée à la désolation et à la violence qui frappent l'Égyptien. J'ai en moi cette désolation et cette violence. L'angoisse me saisit au cœur de ces rencontres inévitables, pour qui veut quitter sa terre d'exil et renaître dans un nouvel espace.

L'Adversaire que nous refusons de rencontrer devient un ennemi qui dévore. Si nous refusons de faire face à la peur, la peur nous contrôle et nous paralyse. Si nous refusons de faire face aux doutes, nous restons piégés dans nos certitudes et nos incertitudes, emmurés dans la sécurité d'un espace clos. La maladie use et détruit ceux qui ne veulent pas entendre son cri. Nous devenons esclaves de nos besoins et de nos émotions.

Dans la tradition judéo-chrétienne, les mythes de la chute, de Caïn et de la tour de Babel (Genèse) racontent la victoire de l'Adversaire et sa transformation en ennemi de l'homme. L'ennemi, au lieu de faire résistance à l'homme pour qu'il grandisse, le brise dans sa vocation fondamentale. Les hommes deviennent alors la proie de leurs désirs de possession, de puissance et de jouissance qui les dévorent ou qui les amènent à s'entre-dévorer. Jésus résiste à ces trois tentations (*Mt* 4,1-11) et nous invite à « veillez et priez pour ne pas succomber à la tentation » (*Mt* 26,41). Tout ça est d'une actualité criante et se rejoue dans ma vie.

Quand l'Adversaire se lève, une force de vie se mobilise. Quand le Germe de vie exige de croître, l'Adversaire se présente. Cette rencontre et cette lutte entre le Germe de vie et l'Adversaire auront lieu que nous ayons, ou non, provoqué l'adversité par nos erreurs et nos négligences. Le Germe de vie, l'Enfant intérieur, ne peut naître et grandir que dans cette danse avec l'Adversaire. J'apprends peu à peu à aimer cette danse.

Cette danse m'amène dans des espaces de mort. Le germe de blé meurt pour donner un nouvel épi. Le Fils meurt pour ressusciter. La mort est le début d'une nouvelle vie. Je commence à peine à comprendre ce grand mystère de nos vies. Je suis encore bien incapable d'en épouser toute la sève et toute l'abondance.

Pour renaître à de nouveaux espaces de vie, il faut mourir aux anciens, telle est la loi. Il me faut quitter une terre que j'ai cultivée et dont j'ai mangé les fruits, pour aller vers une terre nouvelle. Je dois quitter mes pensées, mes critères de jugement, mon histoire, mes croyances, mes certitudes, mes sécurités affectives et matérielles, les laisser mourir pour muter et renaître dans un nouvel espace.

Je suis une chenille qui doit accepter cet espace de rien et de mort, que semble être le cocon, pour devenir un papillon. Les petits « je », que je défends âprement, doivent mourir pour laisser place à un tout-autre dont je ne soupçonne pas l'existence. Nous sommes des mutants.

Il est très difficile de laisser aller d'une main sans avoir d'abord saisi de l'autre main quelque chose de tangible et de sûr. On voudrait connaître les formes et les couleurs de la résurrection avant d'accepter de mourir.

« Une vie neuve, c'est ce que l'on voudrait mais la volonté, faisant partie de la vie ancienne, n'a aucune force [...] On voudrait bien d'une vie nouvelle mais sans perdre la vie ancienne. Ne pas connaître l'instant de passage, l'heure de la main vide. » (Bobin p. 52)

Le chemin exige ce total dépouillement, cette complète dépossession de soi, l'heure de la main vide. Le chemin me dépouille peu à peu de mes vieux habits. L'image même de Dieu, apprise dans les livres et à l'église, ou fruit d'une expérience personnelle, est déchirée. C'est un chemin de totale purification, nous dit Jean de la Croix. Il me dévoile une profondeur qui se creuse de plus en plus. À chaque fois que je crois être allée au bout de ce travail de dépouillement, une autre terre sort des profondeurs de l'ombre et me révèle d'autres animaux intérieurs et des attaches qui ne sont pas encore brisées.

Ce chemin n'est pas une ligne droite menant de la terre au ciel. Il épouse plutôt le parcours d'une spirale à la fois descendante et ascendante.

Les impressions de déjà-vu se multiplient et les thèmes reviennent, chaque fois avec une touche et une tonalité différentes. Chaque spirale mène plus près du cœur et de la racine des choses, où profondeur et hauteur semblent se rejoindre dans un espace infini. On s'approche à la fois du plus personnel et du plus universel, du plus petit et du plus grand.

Cette danse de la vie est exigeante. Elle fait éclater les modèles. Aucune réponse extérieure, si bonne soit-elle, n'est bonne pour soi. Aucun choix n'est absolu. Aucune sécurité ne résiste. Le chemin exige mon attention à des signes discrets à l'intérieur de moi et dans le tissu de ma vie. Je dois obéir totalement à cette Voix qui m'appelle et me guide. « L'obéissance est un acte fou par rapport à l'intelligence que l'on a de la demande [...]. Elle introduit dans une sagesse autre qui alors seulement donne l'intelligence de l'acte. » (Souzenelle 3, p. 18) Ce chemin merveilleux enseigne et donne les réponses dont chacun a besoin, accueille la diversité de la vie et fait fondre les jugements et les sécurités.

Il est très facile d'être dupé sur ce chemin parsemé d'attrapes et de dangers et de se retrouver, même avec les meilleurs intentions, dans une nouvelle prison, piégé par l'Adversaire qui n'ayant pas été reconnu et rencontré, est devenu l'ennemi qui dévore. Je peux me tromper. Il n'est pas aisé de discerner la Voix dont le son est souvent un chuchotement, de tous les babillages qui me parasitent. Je peux me croire « arrivée » parce que j'ai vécu des expériences spirituelles hors de l'ordinaire. Il est tentant de vouloir sauter des étapes.

Je connais maintenant les pièges qui nous guettent : se croire bon, saint, éveillé ; croire que ce sont les autres qui détruisent la vie ; mépriser les autres ; mépriser notre corps et les biens de la terre ; mépriser les choses du ciel ; avoir le sentiment d'appartenir à une race élue et choisie ; croire posséder la vérité ; désespérer de la vie et des hommes.

Nous nous égarons si les murs de séparation se durcissent et s'épaississent et si la vie devient sombre et rigide.

Wilber et Souzenelle décrivent ce chemin comme la montée d'une échelle. Wilber ajoute que le grimpeur ne peut escamoter un seul échelon de l'échelle. « Il peut faire un faux-pas à n'importe quel barreau et se blesser sérieusement. » (Wilber, p. 199) Il faut aimer l'échelle et chacun de ses échelons pour pouvoir grimper. Il faut aimer la terre sur laquelle l'échelle s'appuie autant que le ciel vers lequel elle mène. Nous n'entrons pas dans l'arche pour fuir le monde mais pour nous y incarner véritablement.

Le dialogue et une profonde et complète honnêteté avec soi et avec une autre personne se sont avérés pour moi d'une nécessité vitale pour avancer sur ce chemin et éviter ses pièges.

La beauté de cette danse de purification, c'est qu'elle mène vers un nom unique et non vers une uniformité de pensées et de comportements, ni vers la dissolution de soi dans un univers de croyances. Cette danse libère peu à peu le sceau et le souffle d'un nom personnel qui nous fonde et nous tisse.

Parfois une lumière, à l'horizon, nous permet de percevoir les limites du monde dans lequel nous vivons et d'entrevoir les infinies possibilités qu'elles nous cachent. Ces percées de lumière ont parfois le doux éclat de la luciole et, en d'autres moments, éclatent comme l'éclair qui saisit et transperce. Comme j'aurais voulu retenir ces instants, icônes de la transfiguration, et les éterniser comme les apôtres Pierre, Jacques et Jean. (*Lc* 9,28-36) Ces percées de lumière sont des bouffées d'air frais et des gorgées d'eau vive qui entretiennent le désir. Elles sont des phares et des balises. La lumière permet de comprendre quelque chose qui, jusque là, échappait à notre conscience. Puis elle disparaît. Tout semble s'effacer, les nuages voilent le soleil.

Il est inutile d'essayer d'anticiper les pas de danse. Rien ne se passe comme on peut le prévoir. Je ne suis pas le maître de la danse. Il vaut mieux abandonner et me laisser conduire. Ce n'est pas là chose facile. Je suis entraînée dans une danse dont je ne connais pas les pas, vers une terre étrangère dont je ne sais ni la langue, ni les lois.

## CHAPITRE 3

## LES BEAUTÉS DU CHEMIN

LE CHEMIN EST DIFFICILE, pénible, décourageant parfois, mais d'une beauté et d'une grandeur incroyables.

Quand la nature s'éveille au printemps, quand les feuilles se déplient et que les fleurs s'épanouissent, nos yeux ne saisissent pas ce lent et délicat processus dans son action continue de minute en minute. On regarde un bon matin et on voit: la fleur nouvelle est éclose, la plante atteint un nouvel échelon du treillis, les feuilles ont la couleur et la grandeur de leur maturité.

Il en est ainsi de notre croissance sur le chemin. On ne voit pas de minute en minute, de jour en jour et même de mois en mois, le travail qui nous forge et nous forme. Les changements se font de façon si délicate, fine et subtile qu'on n'en voit pas les mailles et le tissage. Et un beau matin, on regarde et on voit: tout est changé. Notre corps a changé, notre façon de penser et de regarder est changée, notre façon d'entrer en relation a changé.

Tout s'éveille à l'intérieur et autour de soi. Tout reprend vie et tout devient signifiant. L'espace cesse de n'être qu'horizontal et acquiert une verticalité étonnante. Les lumières, les couleurs, les sons, les odeurs et les saveurs acquièrent une intensité nouvelle. Les plaisirs simples et quotidiens sont de plus en plus succulents. On entend la musique des choses.

Nous avons de moins en moins besoin de stimulations extérieures pour nous sentir bien. La qualité et le choix des rencontres, des livres, des émissions de télé, des sorties, des musiques..., remplacent la quantité. Nous aimons le silence et l'inactivité et nous aimons les sons et l'activité, chacun en son temps.

Le chemin mène dans deux directions qui apparaissent, à première vue, contradictoires. Nous redécouvrons, comme de petits enfants, le sens du merveilleux, l'étonnement, le goût de jouer et de rire et une inclination profonde à faire confiance et à nous abandonner. En même temps, on se sait de plus en plus solide, adulte, responsable et droit. Nous n'avons plus le goût de nous incliner devant aucune autorité autre que celle qui nous nourrit intérieurement et du même coup, nous nous inclinons et nous laissons porter par Plus Grand.

Malgré des moments de perte totale de tous nos points de référence et au cœur même de ces ténèbres, la conscience d'être croît inéluctablement et subrepticement.

La conscience d'être croît et fait fi des barrières et

des frontières édifiées auparavant. L'espace grandit horizontalement et verticalement. La terre et le ciel ne s'opposent plus mais se nourrissent l'un de l'autre. Le bien et le mal, les ténèbres et la lumière, les autres et soi, ne sont plus des entités séparées et imperméables, en opposition les unes avec les autres.

Notre isolement éclate. Le sentiment d'inclusion remplace le sentiment d'exclusion. Chaque personne et chaque chose ont leur couleur et leur densité personnelles mais l'espace nous relie plutôt que de nous séparer. Nous respirons ensemble. Nous dansons ensemble. Nous sommes tissés serrés de toute cette magnifique vie et au cœur même de la vie.

Les sentiments fluctuants et les émotions n'exercent plus la même emprise. Ils passent et informent. Ils sont parfois le signe et l'appel vers un espace inaccompli qui demande à être fécondé. Ils perdent le pouvoir de nous diriger et de nous conduire par le bout du nez.

Une expérience naissante de Je Suis nous ancre, nous libère et nous donne une légèreté et une confiance nouvelles, comme si nous avions des ailes.

Cette légèreté, si agréable à éprouver, nous réconcilie avec le temps. Nous ne sommes plus pressés d'arriver vite quelque part. Nous sommes là, tout simplement, et marchons pas à pas, comme la tortue venue habiter mon arche pendant mon expérience du chemin.

Nous nous réconcilions avec le temps et les temps. Nous sommes profondément bouleversés par les souffrances de notre monde, mais nous savons maintenant que « la lumière luit dans les ténèbres » (*Jn* 1,5) et que du chaos naît la Lumière, comme au jour Un de la création.

« Il faut avoir en soi du chaos pour enfanter une étoile dansante » disait Nietzsche (cité dans Leclerc 2, p. 21).

« L'expérience et le savoir, la joie, l'amour et l'excitation qui succèdent à l'agonie sont des récompenses de loin supérieures aux souffrances » (Kübler-Ross, p. 139) pour celui qui accepte d'entreprendre le chemin.

CHAPITRE 4

# LE SEUIL

LE CHEMIN DE LA RENAISSANCE est cette longue montée de conscience, faite de descentes dans les ténèbres de l'inaccompli et de remontées vers la lumière de l'accompli.

La conscience grandit ainsi jusqu'à un seuil. Nous apercevons parfois une lumière venant de cet au-delà du seuil, qui nous laisse entrevoir non pas une augmentation quantitative de conscience mais sa transformation radicale et qualitative. Dans ces moments de percée de lumière et de révélation de Plus Grand, il est très facile de croire que nous avons franchi le seuil et passer la porte.

Pourtant l'expérience d'être au seuil de ce passage est un temps nécessaire de maturation et de purification. Ce temps est une immense grâce, où il nous est permis de diminuer jusqu'à disparaître, pour que le désir de ce Tout Autre s'enflamme.

L'espace et le temps donnés au seuil de cette porte permettent que nos acquis se consument et deviennent cendres. Ce moment, parfois angoissant, est étrangement libérateur. Nous devons cogner à la porte, les mains vides.

L'ouverture de la porte, son passage, n'a rien à voir avec les mérites personnels. Il est « une grâce qui ne dépend pas de la volonté de l'homme ni de ses efforts, mais de la seule initiative du Père » (Leclerc 1, p. 92), un présent de pure grâce.

Jésus nous invite à cogner à la porte, non pas sept fois, mais septante-sept fois. Il a promis de répondre. « Cognez, dit Jésus, et on vous ouvrira. » (*Lc* 11,9) Un pur présent de la pure grâce, irrecevable pour qui a les mains pleines.

« Seuls les cœurs vides peuvent saisir l'immensité de Dieu et percevoir sa profondeur. Le vide du cœur est l'abîme qui invite l'abîme. » (Raguin, p. 134)

Le temps au seuil de la porte est ce temps nécessaire pour se vider le cœur. Sa durée a peu d'importance, tant il permet une libération et une montée du désir de Dieu.

L'espace et le temps vécus à ce seuil permettent de voir, avec une acuité nouvelle, l'opacité et la lourdeur de ce que nous disons quand nous prononçons le mot « je », plein de ses connaissances, de ses acquis, de ses qualités, de ses limites et défauts. Un mot, forgé et sculpté au cours des années, nous retient maintenant comme un boulet et nous empêche d'avancer. Notre identité s'effondre. Ce moment de profonde angoisse est aussi le moment d'où jaillit, comme d'une source lointaine, une profonde espérance.

*La foi creuse ses racines.*

La certitude d'être aimé s'installe au cœur de notre vide et attise notre désir d'être saisi par Lui, le Très-Haut et le Très-Bas (expression empruntée à Bobin).

Il est très difficile de décrire l'étrange liberté qui nous envahit au fur et à mesure que nous avançons sur le chemin. Une coquille est broyée. Nous sortons du mensonge. Le mensonge n'est plus nécessaire. La nécessité de montrer qu'on a réussi, qu'on est arrivé quelque part, qu'on est quelqu'un, s'estompe et disparaît.

La conscience de sa force cohabite avec la conscience de sa faiblesse. La conscience de la lumière, en soi et chez les autres, cohabite avec la conscience des ténèbres, en soi et chez les autres. Plus on avance sur le chemin, plus on est conscient du chemin à faire. Cette connaissance, loin de nous anéantir, nous insuffle la vie.

La nécessité d'avoir et d'acquérir des biens, la nécessité d'être reconnu et la nécessité d'exercer le pouvoir se relativisent et se transforment en non-nécessités. Nous ne ressentons aucun mépris et aucun rejet des réussites et des biens extérieurs. Nous les apprécions avec détachement.

L'inquiétude, la peur et la culpabilité cèdent la place à une tranquille certitude : « Cherchez d'abord le Royaume et le reste vous sera donné par surcroît », nous dit Jésus. (*Mt* 6,33)

Nous sommes au centre d'un étrange paradoxe. Les souffrances du monde, que nous percevons très clairement, ne sont plus éprouvées comme une chape de plomb sur les épaules et sur le cœur, bien qu'elles puissent nous attrister profondément. Nous n'avons plus rien à faire et sommes totalement disponibles. Une étrange légèreté fait battre notre cœur et notre regard embrasse autant le désir de mourir que la force de vivre.

Une mémoire lointaine émerge du creux de nos espaces et prend de plus en plus forme : nous nous souvenons. Nous nous souvenons de cette Présence en nous qui demande à croître. La Tradition appelle cette Présence, le Germe du Fils. La Tradition dit que nous sommes tous, hommes et femmes, la fille vierge qui doit enfanter. Ce travail d'enfantement de nous-mêmes est un long chemin qui mène vers Dieu. Nous savons, en chacune de nos cellules, que nous ne sommes pas seuls. Dieu est là, en nous, qui demande à croître. Dieu est là, qui nous nourrit. Dieu est là, qui nous insuffle la vie.

Nos yeux s'ouvrent. Nos oreilles entendent. Une divine tendresse et une rigoureuse exigence baignent cette sortie de la confusion. Dieu se révèle à nous autant que nous pouvons alors le supporter.

Au-delà du seuil, nous nous retrouvons dans l'univers du Fils de Dieu, dans le flux de la respiration allant du Père au Fils et du Fils au Père. Nous sommes retournés en Éden, un jardin tout intérieur, où le travail continue.

« Celui qui fait cette expérience a la certitude d'être "éveillé" à une réalité qu'il ne pouvait soupçonner. » (Raguin, p. 100) C'est une expérience concrète, charnelle, mentale et spirituelle. Pascal, François d'Assise et Paul de Tarse ont vécu ce passage qui les a retournés à l'envers et a transformé complètement leur vie.

Le Chemin continue. Nous ne sommes pas arrivés. Nous partons. Chaque arrivée est un départ. Le fruit est le germe d'une nouvelle terre. Celui qui refuse ce mouvement fondamental de la vie, celui qui, à toutes les étapes de sa croissance, retient pour ne pas perdre « perd sa vie » nous dit Jésus (*Mt* 16,25). Il devient un personnage vide, vidé de son sang, dévoré de l'intérieur par son attachement à lui-même et esclave de ses accomplissements.

Pour désapprendre à être esclave, il faut apprendre à mourir, écrivait Montaigne (cité par Rinpoche p. 15). Il fallait que Jésus meure pour ressusciter. Il est « le Chemin, la Vérité et la Vie » (*Jn* 14,8). Il est « la lumière du monde » (*Jn* 8,12). Il est la porte (*Jn* 10,9).

# ÉPILOGUE

JÉSUS ENSEIGNE cette belle prière: «Notre père… pardonne-nous nos offenses comme nous pardonnons aussi à ceux qui nous ont offensés…». En réponse à une question de Pierre, il ajoute qu'il faut pardonner non pas sept fois, mais soixante-dix fois sept fois (*Mt* 18,22). Et Jésus de raconter cette parabole du débiteur impitoyable qui refuse à un compagnon la remise d'une petite dette que vient pourtant de lui consentir son roi pour une somme beaucoup plus importante (*Mt* 18,23-35).

Ainsi en est-il dans nos vies. Le pardon vient du roi. Le Seigneur remet notre dette. Le pardon entre en nous et doit sortir de nous, comme le souffle pénètre la flûte et doit en sortir pour créer la mélodie. Faire obstacle au pardon, c'est retenir la vie, c'est se priver de l'abondance.

Recevoir le pardon est une très grande grâce. Donner le pardon en mots, en gestes et en silence, est déjà un premier pas. Donner le pardon «du fond du cœur»

(*Mt* 18,35) est une immense grâce qui nous fait traverser un mur. Elle nous fait entrer dans une matrice, où, nourris de pain et de songes et salés de feu, notre Nom sacré et personnel, le bijou jusque-là caché dans son écrin, se lève, se redresse et se met à danser.

Libéré, le Souffle de Vie ouvre à la compassion. Le Germe de vie s'installe au cœur de la maladie et de la pitié, pour les guérir. L'énergie du soleil et de la colère peut enfin être utilisée pour la guérison.

Recevoir le pardon et donner le pardon du fond du cœur, c'est reprendre le chemin de la vie. C'est commencer à neuf, dans un pays rafraîchi et lavé par la pluie et inondé d'un nouveau soleil.

Je le sais, moi qui ne savais jusqu'ici, pardonner qu'en mots, gestes et silence. Je le sais, alors que cette immense grâce pénètre mon esprit et mon cœur et les transforme radicalement. Tout vient de Lui.

Ainsi est née la maison Merhila dans notre cœur et dans notre esprit le 30 juin 1998. Le souffle et la vie de cette maison viendront du cœur des enfants handicapés qui y vivront avec nous. Ensemble, nous y accueillerons des familles, des hommes, des femmes, pour des temps de repos ou de vacances. La maison porte le très beau nom hébreu (*meḥila*) qui parle de rêves, de vie, de recommencement. Il signifie le pardon.

Il y a plusieurs mois, j'écrivais: «Où le chemin nous mène-t-il, Marie Hélène et moi?» Je le sais maintenant: il mène à Merhila.

# BIBLIOGRAPHIE

BOBIN, Christian, *Le très-bas*, Paris, Gallimard, 1992.

JEAN DE LA CROIX, saint, *La nuit obscure*, Paris, Seuil, 1984.

KÜBLER-ROSS, Élisabeth, *La mort est un nouveau soleil*, Paris, Rocher, 1988.

LECLERC, Éloi, *Le royaume caché*, Paris, Desclée de Brouwer, 1987.

—, *Rencontre d'immensités. Une lecture de Pascal*, Paris, Desclée de Brouwer, 1993.

LILLY, John, *The Center of the Cyclone*, Bantam Book, 1972

PIOTTE, Jean-Marc, *Les grands penseurs du monde occidental*, Montréal, Fides, 1997.

RAGUIN, Yves, *La profondeur de Dieu*, Desclée de Brouwer, 1973.

RINPOCHE, Sogyal, *The Tibetan Book of Living and Dying*, Harper, 1992.

SOUZENELLE, Annick de, *Le symbolisme du corps humain*, Paris, Albin Michel, 1984.

—, *Alliance de feu*, 2 vol., Paris, Albin Michel, 1995.

—, *La Lettre, Chemin de vie*, Paris, Albin Michel, 1993.

—, *Job sur le chemin de la Lumière*, Paris, Albin Michel, 1994.

—, *L'Égypte intérieure ou les dix plaies de l'âme*, Paris, Albin Michel, 1991.

THÉRÈSE D'AVILA, *Le château de l'âme*, Paris, Seuil, 1997.

VARDEY, Lucinda (ed.), *God in All Worlds: an Anthology of Contemporary Spiritual Writing*, Pantheon Books, 1995.

WILBER, Ken, *Une brève histoire de tout*, Éd. de Mortagne, 1997 (titre original : *A Brief History of Everything*, Shambhala, 1996).

# TABLE DES MATIÈRES